MEFIN: I GYMRU YN ÔL

Mefin:
I Gymru yn Ôl

MEFIN DAVIES

gyda Lynn Davies

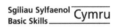

CYNGOR LLYFRAU CYMRU

ISBN: 978 1847712981
Argraffiad cyntaf: 2011

Mae'r prosiect Stori Sydyn/Quick Reads yng Nghymru
yn fenter ar y cyd rhwng Llywodraeth Cynulliad Cymru
a Chyngor Llyfrau Cymru. Mae'r teitlau'n cael eu
hariannu yn rhan o'r Strategaeth Genedlaethol
Sgiliau Sylfaenol i Gymru.

Argraffwyd a chyhoeddwyd gan
Y Lolfa, Talybont, Ceredigion SY24 5HE
gwefan www.ylolfa.com
e-bost ylolfa@ylolfa.com
ffôn 01970 832 304
ffacs 832782

PENNOD 1

DYDDIAU DU

MA' STORI HIR Y tu cefen i'r penderfyniad wnes i i fynd i Loegr i chwarae. Ro'dd haf 2004 yn addo bod yn braf iawn mewn sawl ffordd. Yn y lle cynta ro'dd Angharad a fi'n mynd i briodi ym mis Mai pan fydde'r tymor rygbi wedi dod i ben. Yn ail, ro'dd tîm y Rhyfelwyr Celtaidd wedi gwneud ei farc yn y Gynghrair Geltaidd yn ei dymor cynta. O ganlyniad roedden ni, y chwaraewyr, yn edrych ymlaen yn fawr at y tymor wedyn. Roedden ni wedi gorffen yn bedwerydd yn y Gynghrair Geltaidd, ac yn uwch na'r Gweilch hyd yn oed. Roedden ni hefyd wedi ennill yn erbyn tîm Gleision Caerdydd yn ystod y tymor ac felly, roedden ni wedi gwneud yn ardderchog. Ro'dd sôn hefyd y bydden ni'n symud i stadiwm newydd ym Mhen-y-bont fel rhan o gynllun datblygu mawr.

Cafodd Clwb y Rhyfelwyr ei greu yn 2003 gan Undeb Rygbi Cymru. Er gwaetha protestio mawr, ro'dd yr Undeb wedi cael gwared ar y naw tîm dosbarth cynta o'dd 'da ni yng Nghymru. Nawr roedden nhw am ffurfio pum tîm rhanbarthol yn eu lle. Enwau'r timau newydd o'dd Sgarlets Llanelli, Gleision Caerdydd, Gweilch Castell-nedd ac Abertawe, Dreigiau Casnewydd Gwent a'r Rhyfelwyr Celtaidd. O hynny ymlaen ni, y Rhyfelwyr fydde'n cynrychioli cymoedd canol Morgannwg ar lefel ucha'r byd rygbi yng Nghymru. Ro'dd hi'n amser cyffrous iawn ac roedden ni'r chwaraewyr yn hyderus y bydde gan y clwb newydd ddyfodol disglair.

Fe chwaraeodd y Rhyfelwyr eu gêm ola yn nhymor 2003–4 yn Galway, yn erbyn Connacht. Fe benderfynes i aros yno am noswaith arall. Ro'dd e'n lle grêt i gynnal fy mharti 'stag', gan y byddwn i'n priodi yn fuan wedyn. Fe dda'th nifer o ffrindie gan gynnwys Geraint, Barry a Julian draw aton ni'r holl ffordd o orllewin Cymru ac fe gawson ni amser gwych. Ond yn dilyn y gêm yna fe ddechreuodd y cyfnod mwya digalon a ges i erioed yn fy mywyd.

Ro'n i yng ngharfan Cymru ar y pryd ac wedi dechre paratoi ar gyfer ein taith i'r Ariannin y mis wedyn, sef Mehefin 2004. Roedden ni'n aros yng Ngwesty'r Vale ym Mro Morgannwg, lle bydde tîm Cymru'n paratoi ar gyfer gêmau neu deithiau rhyngwladol. Ar y dydd Llun ar ôl y daith i Galway, ro'dd sesiwn ymarfer wedi'i threfnu yno ar gyfer y garfan. Ar ddiwedd y sesiwn honno fe gawson ni, chwaraewyr y Rhyfelwyr Celtaidd yn y garfan, ein galw i gyfarfod arbennig yn y gwesty. Ro'dd swyddogion Undeb Rygbi Cymru – David Moffet, y Prif Weithredwr, a Steve Lewis, y Rheolwr Cyffredinol – eisie trafod rhywbeth gyda ni.

Perchennog y Rhyfelwyr o'dd y dyn busnes Leighton Samuel. Ond fe glywson ni yn y cyfarfod hwnnw ei fod e wedi gwerthu hanner y Rhyfelwyr Celtaidd i'r Undeb am £1.2 miliwn o bunnoedd. Ro'dd e eisoes wedi rhoi hanner siariau'r clwb i'r Undeb yn gynharach yn y flwyddyn. Felly ro'dd gan y clwb berchnogion newydd, sef Undeb Rygbi Cymru. Eto, fe wnath David Moffet ein sicrhau ni y bydde'r Rhyfelwyr yn dal i chwarae'r tymor wedyn.

Roedden ni'r bois o'dd yn gwrando arno wedi dechre amau bod rhywbeth o'i le. Fe ofynnon ni nifer o gwestiynau ond ro'dd yr atebion yn niwlog iawn. Bydde'r cyfan yn gliriach y diwrnod wedyn, medde fe, David Moffet. Ond roedden ni i gyd o'r farn fod yr Undeb yn gwbod yn gwmws beth o'dd yn mynd i ddigwydd i'r clwb. Wedi'r cyfan roedden nhw newydd wario miliwn o bunnoedd yn prynu'r clwb. Fydden nhw ddim yn gneud hynny os nad o'dd cynlluniau pendant 'da nhw ar ei gyfer e.

Y diwrnod wedyn cyhoeddodd Undeb Rygbi Cymru fod Clwb y Rhyfelwyr Celtaidd yn dod i ben. O ganlyniad ro'n i a 33 o chwaraewyr eraill, a'r hyfforddwyr Lyn Howells ac Alan Lewis, yn ddi-waith. Ro'dd hyn yn golygu fod rhai o enwau mwya'r byd rygbi yng Nghymru ar y pryd yn gorfod chwilio am glybiau newydd. Yn ein plith ro'dd chwaraewyr fel Brent Cockbain, Gareth Cooper, Ryan Jones, Gethin Jenkins, Neil Jenkins, Kevin Morgan, Robert Sidoli, Gareth Thomas a Sonny Parker.

Ro'dd y bechgyn i gyd wedi'u synnu. Ro'dd y newydd yn hollol annisgwyl, ond eto ro'dd hi'n amlwg bod yr Undeb wedi cynllunio hyn ers tro. Ar ôl clywed bod Clwb y Rhyfelwyr yn dod i ben fe gafodd y chwaraewyr eu galw, bob yn un, i gyfarfod arall – cyfarfod gyda David Moffet a Richard Harry, swyddog gydag Undeb y Chwaraewyr. Fe gafodd y bechgyn glywed ganddyn nhw pa un o'r pedwar Clwb Rhanbarthol arall o'dd am eu harwyddo nhw.

Ar gyfer y cyfarfod ro'dd Undeb Rygbi Cymru wedi ca'l gafael ar gopïau o gytundebau pob un ohonon ni'r chwaraewyr. Felly ro'dd yr Undeb yn gwbod yn gwmws faint o gyflog roedden ni'n ei dderbyn gan y Rhyfelwyr. Roedden nhw wedyn yn gallu rhoi'r wybodaeth i'r pedwar clwb o'dd yn mynd i gynnig cytundebau newydd i'r bois. Ro'dd hynny'n hollol anfoesol, yn fy marn i.

Ar ben hynny da'th hi'n amlwg wedyn fod yr Undeb wedi gofyn ers tro i'r pedwar Clwb Rhanbarthol arall dalu dros £300,000 yr un i'r Undeb. Ro'dd hyn er mwyn cwrdd â'r gost o brynu'r Rhyfelwyr oddi wrth Leighton Samuel. Wrth gwrs, bydde'r pedwar clwb ar eu hennill yn fawr wrth i'r Rhyfelwyr ddiflannu. Yn gynta, bydden nhw'n ca'l y cyfle i ddewis o blith chwaraewyr gore'r Clwb. Yn ail, achos nad o'dd y Rhyfelwyr yn bodoli, bydde eu cyllideb nhw oddi wrth yr Undeb yn uwch. Yn drydydd, ro'dd dyfodol y pedwar clwb arall nawr yn fwy sicr byth.

Cafodd pob un o chwaraewyr rhyngwladol y Rhyfelwyr gytundeb gan y rhanbarthau eraill, heblaw amdana i! Fe ges i glywed gan David Moffet nad o'dd yr un ohonyn nhw eisie'n arwyddo i. Ar y pryd, r'on i'n chwarae fel bachwr i dîm Cymru, eto do'n i ddim yn ddigon da i chwarae i unrhyw un o ranbarthau Cymru. Do'n i ddim yn gallu deall y peth. Ond fe gynigiodd David Moffet ryw fath o gysur i fi. Gan mod i heb glwb ro'dd yr Undeb yn barod i gynnig swm o arian i fi, fel rhyw fath o dâl diswyddo. Dwi'n dal i aros amdano!

PENNOD 2

FFRAINC YN GALW

YR ADEG HONNO FE fu sawl asiant o'dd yn cynrychioli bois y Rhyfelwyr yn trafod yn brysur yn y Vale. Eu gwaith nhw o'dd trio ca'l y telerau gorau posib i'r bechgyn gan eu clybiau newydd. Mewn gwirionedd, ro'dd mwy o angen cyngor a chymorth asiant arna i na neb gan nad o'n i'n gwbod ble i droi. Ond chlywes i ddim gair gan fy asiant – cyfreithiwr yn Abertawe fel mae'n digwydd bod.

Ar ôl treulio wythnos yn disgwyl yn ofer iddo fe gysylltu â fi fe benderfynes ei adael e. Ro'n i mewn tipyn o benbleth, gan y byddwn i'n priodi ymhen ychydig ac wedyn bydde 'da fi gyfrifoldeb teuluol newydd. Byddwn i hefyd, ymhen rhai wythnose, yn mynd i'r Ariannin gyda thîm Cymru. Ond do'dd 'da fi ddim sicrwydd cytundeb clwb y tu ôl i fi bellach. Ar ben hynny, do'dd 'da fi ddim y cysur o ga'l yswiriant clwb yn gefen i fi petawn i'n ca'l anaf ar y daith i'r Ariannin. Felly, yn

11

wyneb yr anawsterau hyn, allwn i fforddio mentro mynd ar y daith i'r Ariannin?

Fe ges i sgwrs gyda Mike Ruddock, hyfforddwr tîm Cymru ar y pryd, ynglŷn â'r sefyllfa. Ei gyngor e o'dd cymryd y siawns a mynd i'r Ariannin. Un cysur, yn ei farn e, o'dd y bydde yswiriant yr Undeb yn fy niogelu petai rhywbeth yn digwydd i fi ar y daith. Ond do'dd dim cystal hwyl ag arfer arna i'n cychwyn i'r Ariannin. Eto, ro'dd ca'l chwarae i Gymru yn golygu cyment i fi bob amser a do'n i ddim eisie colli'r cyfle o wneud hynny.

Cyn inni fynd i'r Ariannin fe chwaraeson ni yn erbyn y Barbariaid ar gae Ashton Gate ym Mryste. Ro'dd bois carfan Cymru yn dal i deimlo'n ddig oherwydd y ffordd ro'dd yr Undeb wedi trin y Rhyfelwyr. Felly fe drefnodd y tîm y bydden ni'n gneud protest fach dawel ar y cae ar noswaith y gêm. O dan y bathodyn ar grys Cymru ma 'WRU' wedi'i sgrifennu. Felly cyn mynd ar y cae fe roison ni dâp du i guddio'r llythrennau hynny. Hefyd, fe wisgon ni dâp du ar lewys ein crysau, fel rhyw siort o freichled brotest. Yn anffodus, ym merw'r gêm, wnath y tâp ddim aros yno'n hir. Ond roedden ni i gyd wedi gwneud pwynt pwysig.

Erbyn hyn ro'n i wedi ca'l asiant newydd ac

ro'dd e'n addo gweithio'n galed ar fy rhan i tra byddwn i bant. Y gobaith o'dd y bydde fe'n dod o hyd i glwb fydde'n barod i'n arwyddo i erbyn y byddwn i'n dychwelyd gartre. Ond ro'n i'n sylweddoli nad o'dd hi'n amser da i chwilio am glwb newydd. Erbyn hynny ro'dd y rhan fwya o glybiau wedi gwneud eu trefniadau ar gyfer y tymor newydd. Ar ben hynny, ro'dd cyment o glybiau fel petaen nhw'n cau dros fisoedd cynta'r haf. Dyna'r adeg y bydde nifer o brif swyddogion y clybiau'n mynd ar eu gwyliau.

Ro'dd hynny'n un rheswm arall pam ro'n i'n teimlo mor grac tuag at yr Undeb. Roedden nhw'n gwbod ers wythnose, os nad misoedd, eu bod nhw'n mynd i ddod â chlwb y Rhyfelwyr i ben. Eto, fe arhoson nhw tan ar ôl i'r tymor orffen cyn cyhoeddi'r newyddion. Ro'dd hynny'n golygu ei bod hi'n rhy hwyr i'n siort i ga'l gafael ar glwb newydd. Ma'n wir fod y rhan fwya o'r bois wedi llwyddo i sicrhau clwb arall. Ond ro'dd 'na fechgyn eraill o blith y 34 chwaraewr ar lyfrau'r Rhyfelwyr nad oedden nhw'n sêr. Y tristwch o'dd fod rhai ohonyn nhw wedi gorfod chwilio am gytundebau newydd mewn gwledydd tramor hyd yn oed. Hyd heddiw do's 'da fi ddim syniad beth fu dyfodol llawer ohonyn nhw.

Felly, pan gyrhaeddes i 'nôl o'r Ariannin doedden ni ddim yn meddwl y bydde unrhyw glwb wedi dangos unrhyw ddiddordeb yno' i. Ond er gwaetha hynny, gan mod i newydd briodi, ro'n i'n edrych ymlaen yn fawr at ddod gartre. Y bore wedi i fi gyrradd fe ges alwad ffôn gan Angharad, y wraig. Ro'dd hi wedi clywed ar y radio, ar ei ffordd i'r gwaith, mod i wedi ca'l cynnig i chwarae i Glwb Stade Français, ym Mharis. Felly, fe ffonodd hi fi ar unwaith. Ro'dd hi'n ffaelu deall pam nad o'n i wedi sôn wrthi mod i'n bwriadu chwarae yn Ffrainc.

Ar ôl tipyn fe lwyddes i'w pherswadio nad o'n i'n hunan yn gwybod dim am y peth. Mae'n debyg taw fy asiant newydd o'dd ar fai. Ro'dd e, fel sy'n digwydd mor amal, wedi trio rhoi tipyn o heip i'r stori cyn iddi ddod yn ffaith. Ond ro'dd hi'n wir fod Stade Français wedi dangos diddordeb yno' i. Roedden nhw'n glwb ariannog ac wedi ennill Pencampwriaeth Clybiau Ffrainc y ddau dymor cynt. Felly, fe es i a'r asiant i Baris i drafod gyda rhai o swyddogion y clwb hwnnw. Diolch byth, ro'dd yr asiant yn gallu siarad rhywfaint o Ffrangeg.

Draw â ni i bencadlys y clwb, sef Stade Jean-Bouin, gyferbyn â'r Parc des Princes enwog. Da'th llywydd y clwb, Max Guazzani, yno i'n cyfarfod ni. Ro'dd e am ga'l sgwrs fach gynta er mwyn dod i'n nabod i. Pe bai e'n lico beth o'dd e'n ei weld ac yn ei glywed, bydde fe wedyn yn ein cyflwyno ni i'r adran gyllid i drafod telerau. Yn anffodus, yr unig siarad ro'n i'n gallu ei wneud 'da fe o'dd yn yr iaith Saesneg a hynny drwy'r asiant, a oedd yn cyfieithu'r drafodaeth i fi. Ma'n rhaid bod y Llywydd wedi ca'l ei blesio achos wedyn fe a'th â ni draw at y swyddogion yn yr adran gyllid.

Dyma nhw'n gofyn pa siort o gytundeb ro'n i eisie ei gael a dyma ddweud wrthyn nhw. Yn wir, fe gynigion nhw delerau ariannol o'dd yn cymharu'n ffafriol iawn â'r hyn ro'n i'n ei ennill 'da'r Rhyfelwyr. Ond ro'dd un rhwystr mawr. Roedden nhw'n moyn i fi roi'r gorau i chwarae i Gymru. Bydde'r gêmau rhyngwladol, a'r sesiynau ymarfer wrth baratoi ar eu cyfer nhw, yn achosi i fi golli gormod o gêmau'r clwb. Bydde hynny felly'n drysu eu trefniadau nhw gan eu bod nhw'n amlwg am fy nghynnwys i yn y tîm i chwarae ym Mhencampwriaeth Cynghrair Ffrainc yn ystod y gêmau rhyngwladol. Ro'dd 'da fi nawr broblem fawr.

Allwn i ddim fforddio bod yn ddi-waith.

Eto i gyd, ro'dd ca'l chwarae dros fy ngwlad yn hollbwysig i fi. Ro'n i a'r asiant wedi trefnu i aros ym Mharis tan y bore wedyn a nosweth dawel dros ben gawson ni'r noson honno. O'dd 'da fi gyment ar fy meddwl. Wrth i fi bwyso a mesur cynnig Stade Français ro'dd yr asiant wedi bod yn holi rhai clybiau eraill. Cafodd e air gyda Roland Phillips, hyfforddwr Castell-nedd. Erbyn hyn roedden nhw'n chwarae ym Mhrif Gynghrair Cymru, un lefel o dan y clybiau rhanbarthol. Mae'n debyg fod y clwb hwnnw'n hapus i gynnig cytundeb i fi o wythnos i wythnos. Ro'dd Roland hefyd yn barod i roi opsiwn i fi adael Castell-nedd pe bawn i'n ca'l cyfle i chwarae ar lefel uwch.

Ro'n i'n becso y bydde ymuno â Chastell-nedd yn effeithio ar fy ngobeithion o gynrychioli Gymru. Felly fe ges i air unwaith eto â Mike Ruddock. Fe ddywedodd y bydde fe, o dan yr amgylchiadau, yn hapus i fi chwarae i Gastell-nedd am dymor. Eto, ro'dd e'n gobeithio y gallwn i symud 'nôl i chwarae mewn tîm yn y dosbarth cynta y flwyddyn wedyn. O ganlyniad, fe benderfynes i wrthod cynnig Stade Français ac ymuno â Chastell-nedd ar gyfer tymor 2004–5.

PENNOD 3

CAMU I LAWR

Yn naturiol, arian bach iawn, fesul gêm, ro'n i'n ei ennill am chwarae i Gastell-nedd. Ond rai blynyddoedd cyn hynny ro'n i wedi gneud gradd BSc mewn Peirianneg Drydanol. Felly fe ges i waith gan gwmni peirianneg PCT (Process and Control Technology) ym Mhen-y-bont. Byddwn i'n treulio rhan o bob wythnos yn gweithio i'r cwmni hwnnw ers y dyddiau pan o'n i'n chwarae i dîm rygbi Dynfant a finne newydd adael y coleg. Felly ro'n i'n dal yn gwybod beth o'dd yn digwydd ym maes peirianneg drydanol. O ganlyniad, ro'n i hefyd, diolch byth, yn gallu ennill cyflog gyda PCT yn ogystal â chwarae i Gastell-nedd.

Alla i ddim dweud mod i wedi chwarae'n arbennig o dda i Gastell-nedd. Yn un peth, do'dd fy agwedd meddwl ddim yn iawn. Dwi ddim am roi'r argraff mod i'n ben mawr ond ro'n i'n gwbod mod i'n gallu cystadlu ar lefel llawer uwch na lefel y rygbi y byddwn yn ei chwarae o Sadwrn i Sadwrn. Er mai chwarae rygbi ar safon yr ail ddosbarth i Gastell-nedd ro'n i, eto ar yr un pryd ro'n i'n cadw fy lle yn nhîm Cymru. Yn wir, yr hydref hwnnw chwaraeais i yn nhîm Cymru yn erbyn Romania, Siapan, De Affrica a Seland Newydd.

Yn ddiddorol iawn, ro'dd y rhaglenni swyddogol ar gyfer y gêmau hyn yn dangos mod i'n chwarae i'r Gweilch. Fe wnes i gŵyn swyddogol fod y ffaith honno'n anghywir. Amatur o'n i bellach, yn chwarae i Gastell-nedd. Do'n i ddim yn chwaraewr proffesiynol ar lyfrau tîm rhanbarthol y Gweilch. Ond ro'dd y brotest yn rhy hwyr i mi allu cywiro'r camgymeriad yn y rhaglenni. Falle fod gormod o gywilydd ar yr Undeb i nodi taw chwarae rygbi yn yr ail ddosbarth ro'dd un aelod o dîm Cymru ar y pryd!

Ro'dd un broblem fach arall yng nghefen fy meddwl i pan o'n i'n chwarae i dîm Castell-nedd. Mae gofyn i fachwr, oherwydd natur beryglus y chwarae tyn ar brydiau, fod yn hollol hyderus o'i ddau brop, a'r ail reng. Ond chwaraewyr gweddol ddibrofiad o'dd 'da Castell-nedd yn y safleoedd hyn. Felly do'n i ddim yn siŵr faint o ffydd y gallen i ei roi ynddyn nhw. Ar ben hynny, do'n i ddim yn gyfarwydd iawn â'u steil nhw. Ond mae rhai o'r bois ifanc hynny o'dd yn chwarae i dîm Castell-nedd yn 2004, fel Craig Mitchell, Cai Griffiths a James Hook, erbyn hyn yn aelodau o'r un tîm â fi gyda'r Gweilch.

Diolch i waith ardderchog Andrew Hore, ro'n i wedi llwyddo i gynnal lefel fy ffitrwydd yn eitha da. Fe o'dd yr Hyfforddwr Ffitrwydd i dîm Cymru ar y pryd. Ar ôl i fi ddod 'nôl o'r Ariannin bydde fe'n cynnal sesiynau unigol gyda fi yn y bore cyn i fi fynd i'r gwaith. Erbyn hyn ma' fe'n un o dîm hyfforddi'r Gweilch ac, wrth gwrs, ma' cysylltiad agos rhyngddyn nhw a chlwb Castell-nedd. Mewn gwirionedd, ma'r Gnoll yn fath o feithrinfa i dîm y Gweilch. Yn wir, ar ôl chwarae am rai wythnosau i Gastell-nedd, fe fyddwn i'n ca'l fy ngalw'n amal i fod ar y fainc i'r Gweilch.

Tua diwedd Tachwedd, fe ges i glywed, yn y wasg fod Caerloyw yn chwilio am fachwr. Mae'n debyg hefyd mod i'n ca'l fy enwi fel un a allai fod o gymorth iddyn nhw am gyfnod byr. Ro'dd eu dau brif fachwr, Olivier Azam a Chris Fortey, wedi ca'l eu hanafu. Dyma fi'n cysylltu â'r asiant a gofyn iddo fynd ar ôl y stori. O ganlyniad, fe ges i gynnig ymuno â Chlwb Caerloyw am bedwar mis.

Do'n i ddim yn hollol siŵr a ddylwn i fynd

yno ai peidio. Ro'dd yr arian roedden nhw'n ei gynnig yn well na beth ro'n i'n ei ennill 'da Castell-nedd. Ond do'dd e ddim yn agos at y swm ro'n i'n ei ennill gan y Rhyfelwyr. Fe fues i'n trafod gyda Lyn Jones, hyfforddwr y Gweilch ar y pryd, er mwyn ca'l ei farn e ar y mater. Ro'dd hi'n sgwrs gall iawn – peth digon prin o ystyried cymeriad Lyn! Ei gyngor e o'dd y dylwn i dderbyn cynnig Caerloyw. Ond gofynnodd e, ar yr un pryd, a fydden i'n fodlon bod ar y fainc i'r Gweilch yn erbyn yr Harlequins y dydd Sadwrn hwnnw. Fe gytunes i wneud hynny a ffonio i ddweud wrth Gaerloyw y byddwn i'n dod yno i arwyddo'r cytundeb ar y dydd Llun wedyn.

Fe gafodd bachwr y Gweilch, Barry Williams, ei anafu yn ystod y gêm honno yn erbyn yr Harlequins. O ganlyniad fe ddes i oddi ar y fainc ar gyfer yr ail hanner. Fe enillon ni a dwi'n meddwl i fi ga'l gêm eitha da. Fe ffarwelies i â phawb wedyn a gadael heb unrhyw ddrwgdeimlad rhyngddo i a'r clwb. Ar y dydd Sul fe ges i alwad ffôn gan Derwyn Jones, rheolwr y Gweilch, yn cynnig cytundeb dwy flynedd i fi! Fe wrthodes i'r cynnig gan mod i wedi rhoi fy ngair i Gaerloyw erbyn hynny. Dyma Derwyn yn cynnig rhagor o arian i fi, sef dwbwl yr hyn ro'dd Caerloyw wedi cynnig ei dalu i fi. Yn ogystal, ro'dd y Gweilch yn fodlon rhoi cytundeb o ddwy flynedd, yn hytrach na phedwar mis.

Ro'dd e mor eironig bod y cynnig hwn wedi dod ar ôl i fi dderbyn cynnig arall dros y ffin. Finne wedi bod am bedwar mis cyn hynny'n poeni ac yn chwysu, a neb wedi holi gair amdana i. Ro'n i hyd yn oed wedi mynd i feddwl falle y bydde'n well i fi roi'r gore i'r syniad o drio dod o hyd i glwb dosbarth cynta. Mae'n wir nad o'n i wedi arwyddo unrhyw ddogfen i Gaerloyw ond gwrthod cynnig Derwyn wnes i. Do'n i ddim yn teimlo y gallwn i dorri fy ngair i Gaerloyw ar y funud ola.

Ro'n i'n byw ar y pryd ym Mhentre'r Eglwys ym Morgannwg Ganol, o'dd yn gyfleus iawn i Angharad gan ei bod hi'n athrawes yn Ysgol Rhydfelen. Do'n i ddim yn awyddus i symud i Loegr i fyw. Bydde codi gwreiddiau'n ffôl o gofio taw dim ond sicrwydd am bedwar mis o waith o'dd 'da fi gyda Chaerloyw. Felly fe benderfynes i taw teithio yn y car, yn ôl y galw, y byddwn i'n ei wneud.

PENNOD 4

CROESI'R FFIN

Fᴇ ɢᴇꜱ ɪ ɢʀᴏᴇꜱᴏ gwych gan fois Caerloyw. Wrth gwrs, ro'dd awyrgylch yr ystafell newid yno'n wahanol iawn i'r hyn ro'n i wedi arfer ag e tan hynny. Ar hyd y blynyddoedd ro'n i wedi cymysgu gyda chwaraewyr digon tebyg i fi o ran cefndir. Ro'n i'n teimlo'n gartrefol iawn mewn cwmni o'dd o'r un cefndir â fi. Saeson o'dd y rhan fwya yn nhîm Caerloyw ac fel Cymro ro'n i wedi ca'l fy nghodi gyda'r rhagfarnau arferol yn eu herbyn nhw. Ond fues i ddim yn hir cyn ca'l gwared ar y rhagfarnau hynny. Ro'dd nifer o dramorwyr yn y clwb a falle mai fel un ohonyn nhw roeddwn i'n gweld fy hunan yno.

Ro'dd tipyn o dynnu coes yn yr ystafell newid fel ym mhob tîm arall. Ond ro'dd yr hiwmor ychydig yn wahanol a falle'n fwy personol na'r hyn ro'n i wedi'i arfer ag e. Yn sicr fe geson nhw lot o sbort yn trio dod i ben â dweud fy enw i'n iawn. Fel arfer bydde'n rhaid i fi ymateb i alwadau fel 'Mervyn' neu

22

'Melfyn'. Anaml iawn y cawn i'r cyfle i siarad Cymraeg yno ac eithrio gyda dau berson. Un ohonyn nhw o'dd yr hyfforddwr, Alan Lewis.

Ro'dd Alan yn un o hyfforddwyr y Rhyfelwyr a gollodd ei waith fel fi. Bydde carfan Caerloyw yn ymarfer bob dydd ar gaeau Hartpury College, rhyw bedair milltir i'r gogledd o'r ddinas. Pan gyrhaeddes i yno, fe ges i syrpréis bach neis o weld bod Alan yn rhan o'r tîm hyfforddi yng Nghaerloyw. Ro'dd 'da fe gyfrifoldeb arbennig am ddatblygu chwaraewyr yr Academi.

Y person arall y byddwn i'n siarad Cymraeg gydag e, ar y cae ac oddi arno, o'dd y dyfarnwr Nigel Owens. Ro'dd bois Caerloyw yn ffaelu'n lân â deall beth o'dd yr iaith ro'n i'n ei siarad â'n gilydd. Do'dd y rhan fwya ohonyn nhw ddim yn sylweddoli ein bod ni'n dal i siarad Cymraeg yng Nghymru. Fe fydden ni'n arfer tynnu arnyn nhw trwy ddweud bod angen i fi eu goleuo nhw ar sawl agwedd arall ynglŷn â bywyd yng Nghymru. Fe ddylwn i, meddwn i, eu dysgu nhw am y 'Welsh Not', am 'Tryweryn' ac am y gwrthdaro fu rhwng Margaret Thatcher a glowyr Cymru!

Ar y dechre ro'n i'n gweld y sesiynau ymarfer a'r gêmau yn galed iawn. Wedi'r cyfan, do'n i ddim wedi bod yn dilyn rhaglen ffitrwydd gydag unrhyw dîm dosbarth cynta ers rhai wythnosau. Ond ma'n rhaid mod i wedi'u plesio gyda fy chwarae ar y cae. Oherwydd, cyn i'r pedwar mis ddod i ben, fe ges i gynnig estyniad o ddwy flynedd i 'nghytundeb a hynny ar gyflog llawer uwch. Do'dd dim rhaid i fi feddwl ddwywaith ac fe gytunes i'n llawen i aros yno am gyfnod pellach.

Yn ystod y cyfnod y buodd Azam a Fortey yn dioddef o anafiadau fe lwyddes i ddod yn aelod gweddol sefydlog o reng flaen Caerloyw. Pan dda'th Azam 'nôl, yn naturiol ro'dd y ddau ohonon ni'n ymladd am grys y bachwr. Ond yn anffodus do'dd dim lle yn y tîm cynta i Chris Fortey, ac yntau wedi bod yn aelod o'r clwb ar hyd ei yrfa. Felly fe benderfynodd e symud i Gaerwrangon. Fe ddes i'n dipyn o ffrindie gydag Olivier Azam. Ro'dd e'n gwlffyn caled ac wedi chwarae i Ffrainc sawl gwaith. Y tymor wedi i fi adael Caerloyw fe enillodd e dlws Chwaraewr Gorau'r Flwyddyn gan gefnogwyr y clwb.

Mae e'n dipyn o gymeriad ac ers rhai blynyddoedd mae e'n rhedeg tŷ bwyta chwaethus yn Cheltenham. Eleni ma'r clwb wedi caniatáu iddo fe ga'l ei flwyddyn dysteb ac mae e wedi gofyn i fi sgrifennu pwt bach yn y rhaglen dysteb. Dwi wedi penderfynu rhoi gair o ddiolch iddo fe am ga'l ei anafu ar adeg mor amserol, gan roi'r cyfle i fi fod yn aelod o reng flaen Caerloyw. Oni bai am hynny, mae'n bosib y byddwn i wedi hen adael y byd rygbi ar y lefel ucha.

Ro'dd bywyd bellach yn braf iawn, ar ôl i'r tymor ddechrau mor ddiflas. Ro'n i'n rhan o dîm Cymru a enillodd y Gamp Lawn y gwanwyn hwnnw ac yn rhan o'r dathlu brwd a dda'th yn ei sgil. Yna, ar 22 Mawrth, yn Ysbyty Brenhinol Morgannwg ym Mhontypridd, fe anwyd Mari Grug i Angharad a minnau. Roedden ni wrth ein bodd, a bellach da'th Twm ac wedyn Ifan yn gwmni i Mari. Yn ystod yr haf hwnnw fe nethon ni benderfynu y bydde'n fwy cyfleus i ni fel teulu symud yn nes at Gaerloyw. Doedden ni ddim yn awyddus i adel Cymru, felly fe setlon ni yn Rhaglan a buon ni'n byw yn hapus iawn yno.

Ro'n i wrth fy modd gyda'r holl drefen yng Nghaerloyw. Ro'dd chwarae o flaen y Sied yn Kingsholm yn brofiad ffantastig. Ro'dd y teras hwn, a tho sinc isel uwch ei ben, yn rhedeg ar hyd un ystlys. Ro'dd sŵn a brwdfrydedd y dorf yno'n anhygoel. Wrth baratoi am gêm a fydde'n dechrau am dri o'r gloch, fe fydden ni'r chwaraewyr yn cwrdd yn y cae am un o'r gloch. Bydde'r Sied yn llawn dop hyd yn oed bryd hynny!

Ro'dd yr awyrgylch o gwmpas y stadiwm ar ddiwrnod gêm gartre yn gwmws fel achlysur gêm ryngwladol yng Nghaerdydd. Bydde'r ardal i gyd yn fôr o goch a gwyn. Eto i gyd, er mawr syndod, ynghanol yr holl ferw 'cartre' yma ro'n i'n gallu gweld lliwiau cyfarwydd iawn. Am ryw reswm bydde rhai cefnogwyr yno'n gwisgo lliwiau tîm y Rhyfelwyr Celtaidd ac yn dod yno'n gyson! Yn ddiddorol iawn, fe fydde Gareth Thomas yn dweud bod crysau'r Rhyfelwyr hefyd i'w gweld ar strydoedd Toulouse pan fydde'r tîm hwnnw'n chwarae gartre.

Gweddol o'dd perfformiad y tîm yn ystod y flwyddyn gynta honno. Ar ddiwedd y tymor fe orffennon ni yn y pedwerydd safle yn Uwch-gynghrair Lloegr. Ar gyfer y tymor wedyn cafodd Dean Ryan swydd yr hyfforddwr, yn hytrach na Nigel Melville. Do'dd ein perfformiad ni yn y Gynghrair ddim llawer gwell y flwyddyn wedyn chwaith. Ond ein camp fawr o'dd ennill Cwpan Her Ewrop trwy faeddu'r Gwyddelod yn Llundain yn y ffeinal. Fe wnes i fwynhau'r gêm honno'n fawr, a ninnau'n ca'l y fuddugoliaeth, 36–34, gyda chais yn yr eiliadau ola.

Pan fydd pobol yn gofyn i fi pwy yw'r bachwr gore dwi wedi chwarae yn ei erbyn erioed, fy ateb i yw Garin Jenkins. Un sy'n dod yn ail iddo yw bachwr y Gwyddelod yn Llundain, Danie Cotzee, a chwaraeodd i Dde Affrica sawl gwaith. Ond, yn ffodus i dîm Caerloyw, do'dd e ddim yn chwarae yn ein herbyn ni yn y rownd derfynol honno.

Ar ddiwedd tymor 2006–7 ni orffennodd ar frig y Gynghrair. Ond mae trefen gêmau ail gyfle yn bodoli yn Lloegr. Yn y ffeinal i'r gêmau hynny yn Twickenham fe gollon ni i Gaerlŷr, a ddaeth yn ail i ni yn y Gynghrair. Ro'dd y diwrnod yn un i'w gofio ond feddylies i ddim ar y pryd y bydden ni 'nôl yno'r flwyddyn wedyn ar gyfer yr un achlysur. Erbyn hynny ro'n i'n aelod o dîm Caerlŷr! Ro'dd fy nghytundeb i gyda Chaerloyw yn dod i ben yr haf hwnnw.

Ro'n i wedi bod yn trafod gyda'r clwb ac roedden nhw am i fi aros gyda nhw a finne'n ddigon hapus i wneud hynny. Ond pan ddath hi'n fater o edrych ar y cytundeb roedden nhw'n ei gynnig fe sylwes ar un cymal arbennig nad o'dd yn plesio. Ro'dd e'n nodi y bydde gan y clwb yr hawl i ga'l gwared arna i pe bawn i'n ffaelu chwarae am gyfnod o 13 wythnos o ganlyniad i anaf. Nawr, ro'n i'n digwydd gwbod bod y cytundeb a gâi chwaraewyr eraill y Gynghrair yn wahanol. Fel arfer fydde dim hawl gan unrhyw glwb i ffarwelio â chwaraewr tan y bydde fe wedi ffaelu chwarae am 26 wythnos. Dyna'r math o gymal ro'n i am ei weld gan Caeloyw yn y cytundeb newydd. Fe fues i'n dadlau fy achos yn gryf gyda Dean Ryan, ond yn ofer er ei fod e'n dweud y bydde fe wedi lico 'nghadw i. Ond ychwanegodd fod bachwr arall, Jeremy Paul, yn barod i ymuno â'r clwb pe byddwn i'n dewis gwrthod arwyddo.

Ro'dd Dean yn dda iawn fel hyfforddwr. Yn wir, fe yw'r hyfforddwr blaenwyr gore dwi wedi'i ga'l eriôd. Ond do'dd e ddim cystal fel gweinyddwr nac ychwaith fel rheolwr busnes. Ar egwyddor felly, fe wrthodes i dderbyn y cytundeb newydd. Ro'dd yn rhaid i mi nawr chwilio am glwb arall ar gyfer tymor 2007–8. Mike Howe o'dd fy asiant erbyn hyn, yn sicr yr un gore eto, ac fe a'th e ati i holi gwahanol glybiau. Fe adawes i Gaerloyw ar delerau cyfeillgar ar ôl dau dymor a hanner hapus iawn yno.

PENNOD 5

I GANOL Y TEIGROD

Y BWRIAD YN WREIDDIOL o'dd treulio blwyddyn neu ddwy yn Lloegr cyn dychwelyd i Gymru i chwarae. Felly, ar ôl dwy flynedd a hanner o chwarae ar y lefel ucha yno ro'n i'n gobeithio y bydde fy asiant i'n gallu trefnu hynny. Ond yn anffodus, dim ond un clwb o Gymru ddangosodd ddiddordeb yno' i a do'dd hwnnw ddim yn un o'r clybiau rhanbarthol. Fe fues i'n trafod telerau gyda Roland Phillips, o'dd yn awyddus i 'ngha'l i ymuno â Chastell-nedd unwaith eto. Ond fe dda'th cynnig i barhau i chwarae yn Uwch-gynghrair Lloegr.

Fe drefnodd fy asiant i fi ga'l gair â Simon Cohen a Richard Cockerill, dau o brif swyddogion Clwb Caerlŷr. Fe gawson ni gyfarfod yn Bromsgrove, hanner ffordd rhwng Caelŷr a Rhaglan, lle ro'n i'n byw. Fe gynigion nhw gytundeb dwy flynedd i fi ac ro'n i wrth fy modd. Fe ddywedon nhw'r pethe iawn i gyd, fel 'cymer dy amser i benderfynu' ac 'wrth gwrs ry'n ni'n deall bod yn rhaid i ti drafod 'da'r wraig cyn penderfynu dim byd'. Ges i hefyd addewid y byddwn i'n ca'l fy siâr o gêmau mawr, gan chwarae mewn gêmau fel rhai Cwpan Heineken.

Felly, ro'dd gwaith meddwl a thrafod gyda fi ac Angharad cyn penderfynu. Yn un peth bydde'r symud yn golygu ffindo rhywle newydd i fyw yn Lloegr ar ôl treulio cyfnod hapus iawn yn Rhaglan. Eto, ro'dd Mari a Twm yn ddigon ifanc i ni allu gneud hynny'n weddol hwylus. Un ystyriaeth bwysig, wrth gwrs, o'dd y sefyllfa economaidd wael ar y pryd. Ro'dd yn rhaid pwyso a mesur cynnig Caerlŷr gan gadw hynny mewn cof hefyd.

Y bore ar ôl y cyfarfod fe ges i alwad ffôn gartre am 5 o'r gloch y bore i ddweud bod fy nhad, Marlais, wedi ca'l strôc. Rhuthres i lawr i Uned Ddwys Ysbyty Glangwili ar unwaith. Yna, tua chanol y bore fe fues i'n ffonio gwahanol bobol i ddweud lle ro'n i. Ro'dd neges oddi wrth fy asiant yn dweud bod Caerlŷr yn daer eisie gwbod o'n i'n mynd i dderbyn eu cynnig nhw. Do'dd yr asiant ddim yn gwbod am salwch Nhad. Eglures wrtho nad o'n i'n teimlo fel trafod pethe fel cytundeb rygbi ar adeg mor bryderus. Ro'dd e'n deall yn iawn.

Da'th e 'nôl ata i'n hwyrach gan ddweud ei fod e wedi egluro'r sefyllfa i Glwb Caerlŷr. Er hynny, roedden nhw eisie ateb oddi wrtha i ar unwaith. Ro'dd yn rhaid iddyn nhw gael fy ymateb i'r cynnig erbyn pump o'r gloch y nosweth honno. Ro'n i'n ddig iawn wrth y clwb achos doedden nhw ddim wedi rhoi unrhyw syniad i fi cyn hynny eu bod nhw eisie i mi wneud penderfyniad ar frys. Ond eto, ar ddiwrnod anodd iawn i ni fel teulu, roedden nhw'n rhoi pwysau arna i. Ro'dd disgwyl i fi adael yr ysbyty i arwyddo darn o bapur.

Wrth gwrs, a finne'n ddi-waith i bob pwrpas, ro'n i'n ffaelu gwrthod y cynnig. Fe ges i sgwrs emosiynol gyda Mam yn ffreutur Ysbyty Glangwili a gofynnes am ei chyngor a'i barn hi. Heb amheuaeth a heb ystyried ei theimladau ei hunan, dywedodd fod yn rhaid i fi dderbyn y swydd. Felly, fe drefnes i ffacso'r cytundeb yn ôl iddyn nhw yng Nghaerlŷr o garej fy nhad yng nghyfraith. Fe ddes i wybod yn gynnar, felly, fod agwedd galed iawn yn bodoli ymhlith y swyddogion o'dd yn rhedeg Clwb Caerlŷr. Cyn bo hir, fe ddaethon ni o hyd i dŷ yn Market Harborough, ac fe symudon ni fel teulu i ganolbarth Lloegr.

Er nad oes 'da fi ddim hiraeth wrth adael

Clwb Caerlŷr ry'n ni i gyd fel teulu wedi gweld eisie Market Harborough. Tref farchnad fach wledig yw hi, hanner ffordd rhwng Northampton a Chaerlŷr. Roedden ni'n byw rhyw hanner milltir y tu fas i'r dre ond ro'dd hi'n ddigon hwylus i ni gerdded i mewn i'r canol. Yno ro'dd digonedd o gyfleusterau i ni eu mwynhau, yn siopau, tai bwyta ac ambell gaffi. A dweud y gwir, dwi'n ddiolchgar iawn i Bleddyn Jones am awgrymu Market Harborough fel lle y basen ni fel teulu'n mwynhau byw ynddo. Mae e'n Gymro Cymraeg sy'n sylwebu i Radio Leicester, ac weithie i Radio Cymru. Ro'n i wedi digwydd siarad ag e'n gynnar ar ôl penderfynu symud i Glwb Caerlŷr.

Ro'dd Caerlŷr wedi arwyddo bachwr arall yr un pryd â fi, sef Benjamin Kayser o Glwb Stade Français, a fuodd yn chwarae wedyn i Ffrainc. Y bachwr arall yn y garfan o'dd George Chuter, o'dd eisoes wedi cynrychioli Lloegr, felly ro'n i'n gwbod y bydde hi'n dipyn o gystadleuaeth rhyngon ni. Ond ro'n i'n dibynnu ar Glwb Caerlŷr i gadw at eu gair. Roedden nhw wedi addo y byddwn i'n ca'l nifer o gêmau i'r tîm cynta. Ond nid fel yna buodd hi yn ystod y tymor cynta hwnnw.

Chwarae i'r ail dîm y bues i yn ystod y rhan

fwya o'r flwyddyn gynta. Do'n i ddim yn hapus â'r sefyllfa hynny ac fe fues i'n holi Marcelo Loffreda, prif hyfforddwr y clwb. Fe fyddwn i'n gofyn iddo pam nad o'n i'n ca'l cyfle teg i chwarae i'r tîm cynta. Collodd Loffreda ei swydd ar ôl blwyddyn gan fod y gwaith fel petai'n ormod iddo. Fe gafodd ei ddilyn gan Heineke Meyer, o Dde Affrica, ac fe fyddwn i'n gofyn yr un cwestiwn iddo fe.

Fe fydde'r ddau'n edrych yn dwp arna i pan fyddwn i'n achwyn wrthyn nhw. Beth o'dd yn rhyfedd o'dd mod i'n ca'l yr un ateb gan y ddau ohonyn nhw. 'Yma i helpu mas gyda'r chwaraewyr ifainc wyt ti,' fydden nhw'n ei ddweud wrtha i, 'ac nid i gystadlu am le yn y tîm cynta.' Byddwn i'n taeru 'nôl gan ddweud mod i ar yr un siort o gytundeb â phob chwaraewr arall ac am chwarae cyment o gêmau â phosibl i'r tîm cynta. O ran y ffordd ro'dd y clwb yn ca'l ei redeg yn fasnachol, ro'dd Caerlŷr yn arbennig o broffesiynol. Ond fe ges i fy synnu gan y ffordd roedden nhw trin eu chwaraewyr ar adegau.

Ro'dd hi'n amlwg i fi fod y ddau hyfforddwr wedi ca'l eu bwydo â'r un wybodaeth gan swyddogion y clwb. Yn sicr, fyddwn i ddim wedi cytuno i arwyddo i Gaerlŷr heb y gobaith o ymladd yn deg am fy lle yn y tîm cynta. Yn nes ymlaen yn ystod y tymor cynta fe ges i ambell i gêm ac yn wir dwi'n cofio un cyfnod pan chwaraes i dair gêm yn olynol iddyn nhw. Ro'n i'n teimlo mod i'n chwarae'n dda ac os rhywbeth yn gwella o gêm i gêm. Ond ar ôl y tair gêm hynny fe alwyd cyfarfod o'r rheng flaen. Yno, ces i glywed mod i'n chwarae'n dda. Mewn gwirionedd, yn ôl y tîm hyfforddi, doedden nhw ddim yn gallu gweld bai ar unrhyw agwedd ar fy chwarae. Ond doedden nhw ddim am fy newis i ar gyfer y gêm nesa.

PENNOD 6

BYWYD AR HEOL WELFORD

Ro'dd Cystadleuaeth Tlws yr LV yn gystadleuaeth rhwng clybiau Lloegr a Chymru. Yn amal, yn y gystadleuaeth hon bydd cyfle i'r clybiau ddewis bois sydd ar ymylon y tîm cynta. Yn wir, dyna sut ces i fy ngêm gynta i'r clwb, lawr yng Nghaerfaddon a chael fy ngneud yn gapten hyd yn oed. Ro'dd yr hen bennau yn y tîm ar gyfer achlysur fel'na'n gwbod y sgôr ac mai dim ond ar rai achlysuron y bydde galw am eu gwasanaeth yn y tîm cynta. O ganlyniad, y 'bomb squad' o'dd eu henw nhw ar y tîm gogyfer â chystadleuaeth yr LV! Bu ond y dim i ni ennill y gêm honno yng Nghaerfaddon. Y flwyddyn wedyn buon ni'n chwarae i lawr yno unwaith eto yn yr un gystadleuaeth, ond y tro hwnnw y ni enillodd. Ro'dd hi'n rhoi cyment o bleser i fois y 'squad' ein bod ni wedi profi ein hunain i'r dewiswyr.

Ro'dd ennill yn hollbwysig i glwb fel Caerlŷr. Bydde'r swyddogion bob amser yn disgwyl taw fel 'na o'dd hi i fod. Ond o wrando ar swyddogion fel Peter Wheeler, y prifweithredwr, a Peter Tom, y cadeirydd, bydde rhywun yn ca'l yr argraff hefyd taw'r peth pwysica i'r clwb o'dd ei redeg fel busnes. Ro'dd hyn yn wahanol iawn i'r hyn ro'n i wedi arfer ag e yng Nghaerloyw. Roedden nhw'n trin eu chwaraewyr yn debycach i glybiau Cymru, gan roi'r prif bwyslais ar chwarae rygbi. Yn fasnachol ro'dd Clwb Caerlŷr gymaint ar y blaen i glybiau eraill mewn sawl ffordd. Yn wir, bydde pob sêt ar gyfer y gêmau cartre wedi ei gwerthu, sef 17,000 ohonyn nhw. Erbyn hyn bydd dros 20,000 yn mynd i'w gwylio ar ôl ychwanegu at yr eisteddle. Fe fyddwn i'n meddwl bod Caerloyw yn arfer gneud yn dda wrth werthu 12,500 o seti ar gyfer eu gêmau cartre nhw.

Ro'dd mynd mawr ar ga'l noddwyr ac ro'dd rhestr hir bob amser o fusnesau o'dd yn dishgwl eu cyfle i gynnig eu nawdd i'r clwb. Dwi'n cofio un achlysur, pan o'n i ar ddyletswydd ar ddydd Sadwrn er mwyn bod ar gael i gymdeithasu gyda'r noddwyr. Da'th car i'n hebrwng i o Heol Welford i gae criced gerllaw. Yno ro'dd pabell fawr yn llawn o fwydydd a diodydd ar gyfer y noddwyr. Yna, fe fydde bysys yn mynd â nhw i weld y gêm ac yna'n dod â nhw 'nôl i'r babell wedyn, ar gyfer mwy o wledda. Ac ro'dd yr holl baratoadau hynny gogyfer â gêm glwb gyffredin.

Bydde Clwb Caerlŷr hefyd yn buddsoddi tipyn mewn pobol o ystyried y staff fydde ar gael yn yr ystafell ffitrwydd. Mewn clybiau eraill, y patrwm arferol fydde ca'l un person amser llawn ac un cynorthwyydd, falle, ar gyfer y garfan gyfan. Yng Nghaerlŷr bydde'r cefnwyr a'r blaenwyr yn ca'l eu rhannu. Yna, fe fydde rhyw bedwar hyfforddwr ffitrwydd amser llawn a phedwar rhan amser yn mynd ati. Fel arfer, myfyrwyr coleg o'dd yn dysgu eu crefft fel hyfforddwyr ffitrwydd o'dd y staff rhan-amser. Rhyngddyn nhw i gyd ro'dd un hyfforddwr ffitrwydd ar ga'l ar gyfer pob dau neu dri chwaraewr.

Yn naturiol, des i'n ffrindie da gyda rhai o'r chwaraewyr, yn enwedig bois y rheng flaen, fel Boris Stankovich a Dan Cole. Dwi'n dal mewn cysylltiad â nhw o hyd. Un arall ro'dd 'da fi lot o olwg arno fe o'dd Tom Youngs. Ro'dd e wedi bod ar fenthyg o Gaerlŷr i Nottingham fel canolwr. Ond fe benderfynodd y clwb eu bod nhw am fuddsoddi ynddo fel bachwr yn 2008. O ganlyniad fe fuodd e'n ca'l rhywfaint o hyfforddiant personol 'da fi, a 'da Julian White, y prop. Ro'n i'n teimlo'n flin drosto braidd achos ro'dd ei frawd ifanca, Ben, yn ca'l tipyn o sylw yn Heol Welford. Bydde fe, wrth gwrs, ymhen amser yn datblygu i fod yn un o sêr tîm rygbi Lloegr.

Fe sylweddoles i fod y tywydd lan yng Nghanolbarth Lloegr tipyn yn fwy caredig na'r hyn ro'n i wedi arfer ag e yng Nghaerloyw a Rhaglan. Bydde hynny'n rhoi cyfle i fi dynnu ar fois carfan Caerlŷr. Pan fydde hi'n oer bydde bechgyn Lloegr yn gwisgo sawl haen o ddillad cynnes wrth ymarfer. Bryd hynny byddwn i'n gneud pwynt o fynd mas ar y cae mewn crys-T, siorts a sane lawr at fy sgidie. Byddwn i'n arfer dweud wrthyn nhw taw'r unig bryd y byddwn i'n teimlo'n oer o'dd pan fyddwn i'n sefyll yn llonydd. Felly, cadw i symud o'dd yr ateb a chyfle wrth gwrs iddyn nhw dynnu 'nghoes i am hynny.

Un tro, ychydig wythnosau ar ôl i fi ymuno â Chaerlŷr, fe ges i brofiad diddorol wrth deithio yn y lifft yn y stadiwm. Ro'dd dwy fenyw yn sefyll wrth fy ochr i'n siarad â'i gilydd mewn Cymraeg glân gloyw Sir Gâr. Dyma fi'n holi o ble roedden nhw'n dod a pham roedden nhw wedi dod i weld gêm o rygbi rhwng dau o glybiau Lloegr. Ro'dd un ohonyn nhw'n fam i Martin Corry, cyn-gapten Caerlŷr a Lloegr. Ro'dd hi'n dod o Ben-y-banc ar bwys Llandeilo ac yn siarad

Cymraeg yn gwmws fel Mam. Ro'n i'n ffaelu credu'r peth.

Dyma fi'n sôn wrth Martin am y profiad hwnnw yn y man ac fe gawson ni sgwrs hir am ei gysylltiad e â Chymru. Yn wir, o hynny mlân fe fydde fe'n dweud pethe fel 'Bore da' a 'Wyt ti'n moyn dishgled o de?' wrtha i pan fydden ni yng nghwmni'n gilydd. Weithie fe fydde fe'n dod mas â rhyw bennill bach y bydde ei fam wedi'i ddysgu iddo pan o'dd e'n blentyn, fel 'Mynd drot drot...'!

Ymhen rhai blynyddoedd, wedi i fi ymuno â'r Gweilch, fe symudon ni fel teulu i bentre Rhos-maen ar bwys Llandeilo. Un diwrnod fe ges i neges destun gan Martin yn dweud y bydde ei fam yn dathlu pen-blwydd arbennig yng Ngwesty'r Plough, Rhos-maen y penwythnos hwnnw. Ro'dd Martin a'i deulu'n bwriadu bod 'na hefyd felly holodd e fi a licwn i a'r teulu ddod yno i gwrdd â nhw. Byddwn i wedi bod wrth fy modd ond, yn anffodus, fe fu'n rhaid gwrthod y gwahoddiad. Ro'n i'n mynd bant ar yr union benwythnos y bydde fe yn y Plough.

Un arall o'r chwaraewyr ro'n i'n dod mlân yn dda 'da fe o'dd Ben Kay, yr aelod enwog o ailreng Caerlŷr a Lloegr. Ro'dd e'n dod o

Lerpwl ond bydde fe'n teithio draw i Ogledd Cymru bob cyfle bydde fe'n ei ga'l. Ro'dd lle 'da fe yn Nefyn a buon ni'n sgwrsio tipyn am ei brofiadau fe ym Mhen Llŷn.

GADAEL CAERLYR

CES I FY NEWIS i chwarae i Gaerlŷr 32 o weithie a dod ar y cae fel eilydd mewn 22 gêm. Ro'dd rhai o'r gêmau yn rhai cofiadwy iawn, fel rownd derfynol cystadleuaeth Prif Gynghrair Lloegr yn erbyn y Wasps ar ddiwedd tymor 2007–8. Do'dd y tymor ddim wedi bod yn un arbennig iawn i'r tîm. Roedden ni'n seithfed yn y Gynghrair gyda rhyw dair gêm ar ôl, ac ro'n i ar y pryd yn ddewis cynta yn safle'r bachwr. Dwi'n cofio Peter Wheeler yn dod i mewn i'r ystafell newid i bwysleisio wrthon ni pa mor bwysig o'dd ennill y gêmau hynny. Yn fwy na thebyg bydde ennill yn golygu y bydden ni'n cyrraedd y gêmau ailgyfle.

Dwi'n cofio, yn arbennig, ddrama'r gêm ddiwetha. Ro'dd yn rhaid maeddu Harlequins a cha'l pwynt bonws. Fe sgorion ni ein pedwerydd cais gyda 10 munud i fynd a sicrhau ein lle yn y gêmau ailgyfle. Yna, drama'r rownd gyn-derfynol yn erbyn Caerloyw yn Kingsholm pan enillon ni ym munud ola'r gêm. Ro'dd hi'n grêt ennill yn erbyn yr hen glwb achos ro'n i'n teimlo bod 'da fi rywbeth i'w brofi iddyn nhw. Wedyn mlân i'r ffeinal yn erbyn y Wasps yn Twickenham.

Ar gyfer y gêm honno fe gyhoeddodd y tîm hyfforddi eu bod nhw am gadw'r un garfan â'r un o'dd wedi chwarae yn y rownd flaenorol, heblaw am un newid. Ro'dd y bachwr, George Chuter, yn mynd i golli'i le ar y fainc i Ben Kayser. Dyna enghraifft arall o'r ffordd ansensitif ro'dd y clwb yn trin ei chwaraewyr. Chwarae teg i George, fe dda'th e mlân ar y cae yn erbyn Caerloyw yn y rownd gyn-derfynol a chwarae'n dda. Do'dd dim rheswm dros beidio â'i gynnwys ar gyfer y gêm fawr.

Ro'dd hi'n siom i golli'r ffeinal 26–16 ond ro'dd ein perfformiad ni'n wael ar y diwrnod. Da'th Ben Kayser mlân yn fy lle i ar gyfer yr ail hanner ond fe wnes i fwynhau'r achlysur yn fawr. Yn y lle cynta ro'dd hi'n dipyn o wefr ca'l chwarae o flaen torf o 81,600 yn Twickenham. Ro'dd hynny'n record ar y pryd ar gyfer gêm rhwng dau glwb ac ro'dd yr awyrgylch yn drydanol. Yn ogystal â hynny ro'dd Lawrence Dallaglio yn chwarae ei gêm olaf i'r Wasps y prynhawn hwnnw. Felly fe dda'th ei yrfa ddisglair i ben mewn ffordd addas iawn.

Pan ymunes i â Chaerlŷr yn 2007 fe ges i gytundeb am ddwy flynedd. Ar ddiwedd y cyfnod hwnnw ces i gyfle i aros gyda nhw am flwyddyn arall. Un broblem o'dd fod Mari erbyn hyn wedi dechre yn yr ysgol. Mewn gwirionedd, bydde hi wedi bod yn well 'da Angharad a finne tasen ni wedi gallu symud 'nôl o Loegr yn gynt. Wedyn bydde'r plant wedi gallu ca'l eu haddysg o'r dechre yng Nghymru. Ond ar ôl pwyso a mesur tipyn ac ystyried y sefyllfa economaidd wael ar y pryd, fe benderfynes i dderbyn cynnig Caerlŷr. Tua diwedd tymor 2009–10 daeth y clwb ata i a gofyn a hoffen i arwyddo am un tymor arall wedyn. Beth bynnag am delerau'r cynnig hwnnw, do'n i ddim yn rhy awyddus i aros yng Nghanolbarth Lloegr am gyfnod pellach oherwydd y plant.

Erbyn hyn ro'dd y teulu wedi dechre achwyn bod y plant yn siarad Saesneg yn rhy dda! Ar ben hynny, roedden nhw'n ei siarad hi gan ddefnyddio acen Canolbarth Lloegr. Ro'dd yn hawdd deall hynny wrth gwrs achos taw Cymraeg o'dd iaith yr aelwyd a phan fydden nhw'n gwylio'r teledu, rhaglenni Cyw fydden nhw'n eu gwylio fwya. Felly, dim ond yn yr ysgol neu yn y dre y bydden nhw'n clywed Saesneg fel arfer.

Yn y diwedd fe wnath Caerlŷr hi'n rhwydd i fi eu gadael nhw gan fod y cynnig ges i 'da nhw'n hollol annheg. O'r flwyddyn gynta, yn ystod y tair blynedd y bues i gyda nhw, roedden nhw wedi bod yn cynnig llai o arian i fi o dymor i dymor. Hynny er mod i wedi ymladd fy ffordd a dod yn brif ddewis fel bachwr y clwb yn ystod y cyfnod hwnnw. Yn ôl telerau eu cynnig nhw ar gyfer 2009–10 byddwn i'n ca'l hanner cyflog y cytundeb blaenorol. Ar ben hynny ro'dd dishgwl i fi wneud mwy o waith. Yn ogystal â bod yn chwaraewr amser llawn, roedden nhw hefyd wedi gofyn i fi roi cymorth i hyfforddi'r blaenwyr.

Unwaith eto ro'dd fy asiant wedi bod yn holi yn y gobaith o ga'l clwb arall i gynnig cytundeb i fi. Yn wir, ro'dd gan glwb Bryste ddiddordeb ac roedden nhw'n cynnig gwell telerau na Chaerlŷr. Es i 'nol atyn nhw yn Heol Welford a dweud mod i wedi ca'l gwell cynnig gan glwb arall. Ro'n i'n meddwl y basen nhw am wella'u cynnig gwreiddiol wrth glywed hynny. Yr ymateb ges i, fwy neu lai, o'dd nad oedden nhw'n fy nghredu i. Gofynnon nhw i fi enwi'r clwb o'dd wedi rhoi'r cynnig i fi. Gwrthodes i wneud hynny, gan bwysleisio na fyddwn i ddim yn dweud celwydd ac y bydde'n rhaid iddyn nhw gymryd fy ngair.

Ond yna'n gwbl annisgwyl fe dda'th cynnig o Gymru. Ro'n i wedi bod yn chwarae i Gaerlŷr yn erbyn y Gweilch yn Stadiwm Liberty yng nghystadleuaeth Cwpan Heineken a cholli 17–12. Ro'n i wastad yn falch o ga'l chwarae yn erbyn timau o Gymru gan ei fod e'n gyfle i gwrdd â hen ffrindiau. Hefyd, yn fy achos i, ro'n i'n ca'l dangos mod i'n ddigon abl o hyd i gystadlu ar y lefel ucha. Eto i gyd, ers sawl tymor, mae'n ymddangos nad o'n i wedi bod yn ddigon da i hawlio sylw unrhyw un o glybiau rhanbarthol Cymru!

Y GWEILCH AMDANI

ER INNI GOLLI'R GÊM honno yn erbyn y Gweilch, ni, Castrogiovanni, Marcos Ayerza a fi, yn sicr enillodd y frwydr rhwng y ddwy reng flaen. Ychydig ar ôl y gêm honno fe ges i alwad ffôn gan Scott Johnson, prif hyfforddwr y Gweilch. Gofynnodd i fi a hoffen i ddod lawr i Abertawe i ga'l sgwrs fach 'da fe. Feddyles i ddim llawer am y gwahoddiad ar y pryd. Ro'n i'n edrych ar Scott fel hen ffrind ers fy amser i gyda thîm Cymru ac yn gwybod ei fod yn berson diddorol dros ben. Ond ymhen ychydig ddyddiau fe es i lawr i'w gyfarfod e.

Fe a'th e â fi rownd canolfan ymarfer y Gweilch yn Llandarcy ac fe fuon ni'n trafod rhai o'r chwaraewyr o'dd ar lyfrau'r clwb. Do'n i ddim yn siŵr beth o'dd ystyr hyn i gyd. Yna gofynnodd Scott i fi a fyddwn i am ymuno â'r Gweilch. Fe ges i dipyn o sioc a dwedes i wrtho y byddwn i'n sicr yn ystyried ei gynnig. Buodd mwy o drafod rhyngon ni ac fe ges i wybod y math o gytundeb ro'dd y clwb yn barod i'w gynnig i fi fel chwaraewr. Roedden nhw hefyd am i fi edrych ar ôl y bechgyn ifainc yn y clwb.

A dweud y gwir, ro'dd cynnig y Gweilch yn debyg iawn, yn ariannol, i gynnig Caerlŷr, ond ro'dd un Bryste yn well na'r ddau. Ond ro'dd 'na bethau eraill i'w hystyried. Pe bydden ni'n dod 'nôl i Gymru i fyw fe alle'r plant fynd i ysgol Gymraeg. Mae'n bosib y gallen nhw ddal i wneud hynny pe byddwn i'n dewis teithio 'nôl a mlân i Fryste o Gymru. Ond bydde hynny'n golygu gorfod aros ym Mryste weithie, mae'n siŵr, a chyrradd gartre'n hwyr ambell waith. O ganlyniad byddwn i'n gweld tipyn llai ar y teulu nag y byddwn i'n ei ddymuno.

Yn ogystal dim ond llond dwrn o hyfforddwyr da dwi wedi dod ar eu traws yn ystod fy ngyrfa ac mae Scott yn un ohonyn nhw. Mae'n berson sy'n deall pobol ac yn gallu eu trafod nhw'n iawn. Mae 'da fe syniadau gwreiddiol ac mae e'n hoff iawn o drio pethau newydd. Felly, rhwng popeth, ro'n i'n edrych mlân yn fawr iawn at ymuno ag e.

Erbyn hyn dwi wedi setlo'n dda iawn gyda'r Gweilch ac yn mwynhau chwarae yng Nghynghrair Magners. Bydda i hefyd yn helpu i hyfforddi rhai o'r bechgyn ifainc sy'n chwarae yn y rheng flaen, fel Craig Mitchell, Ryan Bevington a Craig Cross. Dwi'n mwynhau gweithio gyda nhw yn fawr iawn. Pan na fyddan nhw ar ddyletswydd gyda thîm y Gweilch, fe fyddan nhw'n chwarae yn Uwch-gynghrair yr Undeb Rygbi gyda chlybiau fel Abertawe, Aberafan a Thonmawr. Mae hynny wedyn yn rhoi cyfle i fi eu gweld nhw'n chwarae ar y sgrin ac i drafod eu perfformiad gyda nhw.

Ar lefel bersonol mae pob un ohonon ni, fel teulu, wrth ein bodd 'nôl yn Sir Gâr. O ran Angharad a finne, mae'n braf iawn ca'l byw yn agos at berthnasau a ffrindiau unwaith eto. Ond, yn bwysicach falle, ma'r plant wrth eu bodd ynghanol y bywyd Cymraeg newydd. Maen nhw wedi setlo'n ardderchog yn Ysgol Teilo Sant, Llandeilo, ac yn joio ma's draw yno. Erbyn hyn, ma'r hiraeth o'dd 'da Mari am ysgol Little Bowden, ar bwys Market Harborough, wedi hen ddiflannu.

Dwi wedi gweld un gwahaniaeth mawr wrth gymharu Cynghrair y Magners heddiw â'r Gynghrair Geltaidd ro'n i'n chwarae ynddi gyda thîm y Rhyfelwyr. Mae safon y dyfarnu wedi gwella tipyn erbyn hyn. Ma' hynny'n bwysig iawn i rywun sy'n chwarae yn y rheng flaen! Yn fy marn i, mae 'na ddau wahaniaeth pwysig hefyd rhwng Cynghrair Magners ac Uwch-gynghrair Lloegr. Yn gyntaf, bydd mwy o dorf fel arfer yn dod i'r gêmau dros y ffin. Yn wir, mae hyd yn oed ail dîm Caerlŷr yn denu rhai miloedd i'w gweld nhw'n chwarae.

O ran y chwaraewyr, mae doniau bois timoedd rhanbarthol Cymru, o'r prop pen rhydd i'r cefnwr, at ei gilydd yn well. Mae hyn fel arfer yn arwain at gêm fwy agored. Ond mae'n gêm wahanol yn Lloegr. Yno mae gofyn am flaenwyr cryf fydd yn dal i weithio drwy'r gêm heb feddwl am ildio. Mae mwy o ofynion ar chwaraewyr Cymru o ran ffitrwydd, ond mae'n fath gwahanol o ffitrwydd. Yma, wrth ymarfer mae tipyn o sylw yn ca'l ei roi i waith pwysau, ochr yn ochr â thipyn o redeg. Yn fy marn i, 'dyn nhw ddim yn mynd 'da'i gilydd. A ddylai prop wastraffu amser yn ymarfer sbrinto, er enghraifft? Yn y sesiynau ymarfer bydde'n well petai e'n gneud y gwaith caib a rhaw a chanolbwyntio ar sgrymio.

Yn achos clybiau Lloegr fydd dim disgwyl i chwaraewyr y rheng flaen roi pwyslais ar redeg. Y farn yno yw nad oes angen rhedeg cymaint i fod yn gryf ac mai ar fagu nerth y dylai eu pwyslais nhw fod. Eto, dwi ddim yn meddwl y bydde hi'n talu i ddilyn holl ddulliau ymarfer clwb fel Caerlŷr. Maen nhw'n credu mewn cynnal un ymarfer yr wythnos sy'n gwmws fel gêm. Felly, bydd cystadleuaeth frwd rhwng dau dîm gan gynnwys popeth a gawn ni mewn gêm – taclo, sgrymiau, llinellau, symudiadau ac yn y blaen. Ro'dd hynny'n rhy galed ac yn gofyn gormod ar y chwaraewyr, yn fy marn i.

Dwi'n cofio dod wyneb yn wyneb â Marcos Ayerza, prop pen rhydd sydd yn hanu o'r Ariannin, tua diwedd y tymor diwetha. Ro'dd golwg ddigalon a blinedig iawn arno. Dyma fi'n gofyn iddo beth o'dd yn ei boeni fe. Fe atebodd ei fod e'n teimlo'n hollol ddifywyd. O gyfrif y sesiynau ymarfer, meddai, teimlai iddo chwarae dros 50 o gêmau'n barod y tymor hwnnw.

Ma' gofynion ffitrwydd wedi newid yn llwyr ers pan o'n i'n dechre chwarae i'r timau hŷn. Pan ddechreues i ymarfer, ro'dd hyfforddwyr yn credu taw'r hyn o'dd ei eisie i ga'l chwaraewyr yn ffit o'dd gneud iddyn nhw redeg nes eu bod nhw ar fin cwympo. Do'dd dim llawer o feddwl y tu cefen i hyn ond ro'dd e'n waith caled. Dwi'n cofio gneud digon ohono pan o'n i'n chwarae'n fachgen ifanc gyda Cwins Caerfyrddin. Yn wir, dw i'n credu taw dyna'r sialens fwya mae 'nghorff i wedi'i chael erioed. Do'dd dim ots pa mor ffit ro'n i'n teimlo, ro'dd y sesiwn nesa bob amser mor galed â'r un gynt.

Yn sicr, llwyddai'r sesiynau hyn i gryfhau'r meddwl gan fagu agwedd hollol benderfynol yno' i. Do'n i ddim yn mynd i adael i'r tasgau rhedeg ga'l y gorau arna i. Ond ar wahân i hynny, dwi ddim yn meddwl iddyn nhw wneud llawer o les i fi chwaith, a dwi ddim yn credu y bydde chwaraewyr heddiw'n fodlon derbyn y fath sesiynau. Wrth gwrs, erbyn hyn mae gan y prif glybiau bobol sydd wedi ca'l eu hyfforddi'n wyddonol i ofalu am ffitrwydd y chwaraewyr. Maen nhw'n gallu llunio ymarferion penodol ar fy nghyfer i sy'n ateb gofynion ffitrwydd y bachwr. O ganlyniad, er mod i gyda'r hyna yng ngharfan y Gweilch, dyw ffitrwydd nac ymarfer ddim yn broblem.

Y CYFNOD CYNNAR

RO'N I'N DWLU AR chwarae rygbi bob cyfle gawn i yn Ysgol Gynradd Nantgaredig, ar bwys Caerfyrddin. Ro'dd y prifathro, Brynmor Jones, wrth ei fodd yn gwylio'r gêm rygbi ac yn ei chyflwyno i ni'r plant. Fel arfer mewn gêmau saith neu naw bob ochr y bydden ni'n chwarae, ac yn amal fe fydden ni'n ca'l tipyn o lwyddiant yn erbyn ysgolion eraill. Un flwyddyn ni enillodd Cwpan Ysgolion Cynradd Sir Gaerfyrddin, lawr ar gae Clwb Rygbi Casllwchwr. Ro'dd e'n ddiwrnod mawr a dwi'n trysori hyd heddiw'r fedal gawson ni fel aelodau'r tîm buddugol.

Fel mewnwr y dechreues i fy ngyrfa yn Ysgol Nantgaredig. Ond gan fod angen mwy o nerth ymhlith y blaenwyr er mwyn ca'l y bêl 'nôl i'r olwyr, fe symudes i safle'r bachwr. Bues i wedyn yn chwarae yn y safle hwnnw i dimau Ysgol Bro Myrddin er na ches i erioed hyfforddiant swyddogol o ran sut o'dd chwarae yn safle'r bachwr. Ar wahân i ambell i gyngor y byddwn i'n ei ga'l gan hen brop profiadol gyda'r Cwins o'r enw Dai Dwl. Bydde fe'n dangos i fi weithie beth ddylwn i ei wneud a beth dylwn i osgoi ei wneud.

Wrth chwarae yn safle'r bachwr, ar unrhyw lefel, mae gofyn ca'l techneg gywir. O ganlyniad bydd yn haws i'r sgrym weithio'n effeithiol heb fygwth diogelwch y pac, yn enwedig diogelwch y rheng flaen. Mae'n anodd credu, felly, na ches i unrhyw hyfforddiant technegol ar sut o'dd chwarae yn safle'r bachwr tan o'n i'n rhan o garfan Cymru. Bryd hynny ro'n i o dan ofal Steve Hansen, Scott Johnson a Mike Cron. Ro'dd Mike yn dod o Seland Newydd ac yn arbenigwr ar sgrymio. Rhaid cyfadde bod y blaenwyr ifainc yng ngharfan Cymru yr adeg honno wedi dysgu llawer gan Mike. Yn wir, fe ddysgon nhw mewn un sesiwn yr hyn a gymerodd flynyddoedd lawer i mi ei ddysgu. A'r unig athro o'dd 'da fi o'dd fi fy hunan, gan ddysgu wrth chwarae o gêm i gêm.

Fydde dim cymaint â hynny o gêmau yn ca'l eu chwarae yn Ysgol Bro Myrddin pan o'n i yno. Y rheswm am hynny o'dd bod yr athrawon yr adeg honno ar ryw fath o streic, gan wrthod gwneud unrhyw waith heblaw dysgu yn y gwersi. O ganlyniad, doedden nhw ddim yn gallu hyfforddi disgyblion na mynd â nhw i chwarae ar ôl oriau ysgol. Ro'n i'n teimlo nad o'n i'n ca'l digon o rygbi'r pryd hynny. Felly dechreues i fynd lawr i Glwb Rygbi Nantgaredig i ymarfer bob nos Fawrth a nos Iau. Ro'n i'n rhy ifanc i chwarae iddyn nhw'n rheolaidd, er i fi ga'l ambell gêm i'r ail dîm.

Ro'n i wrth fy modd yn yr ysgol ac yn mwynhau pynciau fel CDT, Ffiseg, Technoleg, Mathemateg a Chwaraeon yn fawr iawn. Ar y llaw arall, do'n i'n dda i ddim mewn pynciau fel Saesneg. Mewn gwirionedd, es i i chwarae'r fiolin yn Ysgol Bro Myrddin er mwyn osgoi'r gwersi Saesneg. Ro'n i wedi dechre chwarae'r offeryn hwnnw yn yr ysgol gynradd ac ro'dd e'n handi iawn yn yr ysgol uwchradd. Byddwn i'n gallu gwneud yn siŵr y bydde'r gwersi fiolin wastad yn digwydd yn ystod y gwersi Saesneg. Ro'dd perthyn i gerddorfa'r ysgol hefyd yn esgus i golli gwersi ar adegau.

Er i fi orffen chwarae'r ffidil ar ôl ychydig, ma' diddordeb mawr 'da fi mewn cerddoriaeth o hyd. Dwi'n lico pob math o gerddoriaeth, o Eurodance i gerddoriaeth glasurol. Mae Andrea Bocelli yn ffefryn mawr a dwi wrth fy modd yn gwrando ar ganeuon Cymraeg. Mae'r diléit yn rhedeg yn y teulu. Mae Mam yn hoff o chwarae'r piano a'm chwaer, Meleri (Walters erbyn hyn), yn *mezzo soprano* adnabyddus. Pan o'n i'n grwt, bues i hyd yn oed yn canu ambell ddeuawd gyda hi. Byddai Meirlys, fy chwaer arall, wrth ei bodd yn gwrando arnon ni.

Ar ôl gorffen fy mhumed flwyddyn yn Ysgol Bro Myrddin, fe ddewisais fynd i Goleg Technegol Llanelli i astudio ar gyfer y Diploma Cenedlaethol mewn Peirianneg Electronig a Thrydanol. Tua'r un adeg fe ddechreues i chwarae i dîm Ieuenctid Cwins Caerfyrddin a mwynhau'r profiad yn fawr. Ches i erioed dreial i unrhyw dîm rhanbarthol na chenedlaethol pan o'n i'n ifanc. Ma'n siŵr taw fi o'dd yr unig chwaraewr yng ngharfan Cymru, flynyddoedd wedyn, o'dd yn gallu dweud hynny.

Ar ôl ennill y Diploma es i weithio am ychydig i gwmni Larymau Dyfed yng Nghaerfyrddin. Yna fe benderfynes i fynd i Goleg Polytechnig Trefforest, a ddaeth wedyn yn Brifysgol Morgannwg. Ro'n i'n byw yn Nhrefforest yn ystod yr wythnos ac ro'n i'n teimlo ar goll braidd yn ystod fy nhymor cynta. Ond wedi hynny fe dda'th patrwm rheolaidd i 'mywyd yn y coleg ac fe wnes i fwynhau bod yno.

I rygbi ro'dd y diolch am hynny. Byddwn i'n chwarae i dîm y coleg bob dydd Mercher. Yna, ar nos Iau byddwn i'n mynd i ymarfer gyda'r Cwins, ac yn ca'l £10 o dreuliau am deithio 'nôl i Gaerfyrddin. Yna, bob dydd Sadwrn, byddwn i'n chwarae i'r Cwins ac yn mynd 'nôl i'r coleg ar y nos Sul. Mewn gêm yn erbyn tîm cyn-ddisgyblion Ysgol Uwchradd Caerdydd fe ges i ddwy garden felen. O ganlyniad fe ges i 'ngwahardd am bythefnos. Ro'n i'n teimlo mod i wedi bod yn anlwcus iawn gan fod y garden felen gynta wedi'i rhoi am drosedd dechnegol yn y sgrym. Fe ges i'r ail garden am dacl o'dd ychydig bach yn hwyr. Ond ro'dd y dyfarnwr eisoes wedi rhoi rhybudd cyffredinol mewn gêm eitha brwnt. Felly y fi wnaeth ddiodde.

Pan dda'th y pythefnos i ben fe weles mod i wedi colli fy lle yn nhîm y Cwins. Ond yn y coleg ro'n i wedi dod i nabod bois o Glwb Rygbi Dynfant. Fe ges i wahoddiad 'da nhw i fynd i chwarae i dîm o dan 21 y clwb. Dyna wnes i am ychydig ac yn y man fe ofynnodd swyddogion y clwb i fi chwarae'n rheolaidd i'r tîm hwnnw. Ond fe ddywedes i y bydde'n well 'da fi fynd 'nôl i chwarae i'r Cwins gan eu bod nhw'n chwarae ar lefel hŷn. Gyda hynny, da'th hyfforddwr y clwb, Brian Thomas, 'nôl ata i a chynnig i fi chwarae i dîm cynta'r Dynfant.

Ar y pryd ro'dd Dynfant yn Uwchgynghrair Clybiau Cymru ac ro'dd e'n brofiad ffantastig i fi. Yn ystod y cyfnod pan o'n i gyda'r clwb fe ges i gyfle i wynebu rhai o fachwyr gorau'r byd, fel Garin Jenkins, John Humphreys, Barry Williams a Nigel Meek. Fe ges i hefyd amser i ddatblygu fel bachwr, gam wrth gam, ac i fagu hyder. Un gwendid yn y drefn heddiw yw bod disgwyl i fechgyn ifainc berfformio ar y llwyfan mawr yn gyflym heb iddyn nhw gael y cyfle i chwarae i dimau llai a chodi o ris i ris. Maen nhw'n ca'l eu taflu i ganol y frwydr yn rhy gynnar.

GADAEL COLEG

PAN DDA'TH HI'N AMSER gadael coleg ro'dd yn rhaid chwilio am waith. Tra o'n i yn y coleg bues i'n gweithio yn ystod y gwyliau, er mwyn trio ennill peth arian, i Amaethwyr Caerfyrddin yn Nantgaredig ac yng Nghaerfyrddin. Ro'dd 'da ni gysylltiad teuluol â'r cwmni gan taw brawd Nhad, Dilwyn, o'dd y Rheolwr Cyffredinol. Mae'n rhaid i fi gyfadde taw dyna'r gwaith dwi wedi'i fwynhau fwya erioed. Ro'n i wrth fy modd yn trafod gyda'r ffermwyr fyddai'n galw i mewn o ddydd i ddydd gan fod ffermio yn y gwaed.

Ma Mam yn ferch ffarm o Hermon, Cynwyl Elfed. Ond ar ôl priodi buodd hi'n cadw Swyddfa'r Post yn Nantgaredig am dros 30 mlynedd. Ma'r ffarm lle cafodd hi ei magu, Triol Bach, yn dal yn y teulu o hyd. Buodd brawd Mam, Phil, yn ffarmo yno am flynyddoedd ac erbyn hyn ei fab, Emyr, sydd wrthi. Ma' Nhad hefyd yn dod o gefen gwlad Sir Gâr, o Brechfa, ond nid ar y tir y buodd e'n gweithio. Fe gafodd e grefft fel saer coed cefn gwlad a dyna beth fuodd e'n ei wneud am flynyddoedd cyn troi at y byd adeiladu ac at godi tai.

Ro'n i wedi ennill gradd BSc mewn Peirianneg Electronig a Thrydanol yn Nhreforest, felly ro'n i am drio ca'l swydd yn y maes hwnnw. I ddechre es i weithio i gwmni un o swyddogion Clwb Rygbi Dynfant, Andrew Beer, o'dd yn berchen ar gwmni electronig ACDC yn Abertawe. Ro'dd y cwmni'n adeiladu panelau trydanol ac yn gwneud gwaith electronig ar safleoedd arbennig. Ond mewn gwirionedd do'dd dim angen gradd prifysgol i wneud hynny. O ganlyniad fe symudes i weithio i gwmni o'r Alban o'r enw Scomagg yn Ton-du.

Cynhyrchu meddalwedd trydanol fydde'r cwmni a finne'n gweithio ar gyfrifiadur am y rhan fwya o'r amser. Bues i'n gweithio yno am ddwy flynedd nes i'r cwmni orfod cau. Ro'dd y cwmni'n gwneud yn dda iawn yng Nghymru, ond ro'dd y prif ffatri yn Motherwell yn ei cha'l hi'n anodd. O ganlyniad fe gollon ni, y gweithwyr yng Nghymru, ein swyddi. Ymhen ychydig da'th rhyw naw ohonon ni at ein gilydd a chyfrannu rhywfaint o arian i sefydlu ein cwmni ein hunain. Fel dwi wedi cyfeirio ato'n barod, ei enw fe yw PCT a dwi'n dal yn rhan o'r cwmni hwnnw hyd heddiw.

Ar y dechre ro'dd hi'n anodd cyfuno bod mewn swydd a bod yn chwaraewr rygbi ar y lefel ucha. Ar ôl bod gyda Dynfant am dri thymor a hanner fe ymunes i â Chlwb Castell-nedd. Erbyn hyn ro'dd y byd rygbi wedi dechre troi'n broffesiynol. Ro'dd y rhan fwya o fechgyn Clwb Castell-nedd bellach yn chwaraewyr amser llawn. O ganlyniad, fe fydden nhw'n ymarfer yn ystod y dydd. Ond chwaraewr rhan-amser fues i tra o'n i ar y Gnoll.

Byddwn i'n hala tri diwrnod yr wythnos yn ymarfer gyda Chastell-nedd ac yn gweithio i PCT yn ystod y diwrnodau eraill. Ond hyd yn oed ar y diwrnodau hynny byddwn i'n ymarfer. Byddwn i fel arfer yn cyrradd y clwb erbyn 7 o'r gloch y bore, yn gwneud awr a hanner yn y *gym* ac yna'n mynd i'r gwaith ym Mhen-y-bont erbyn 9 o'r gloch. Yna, byddwn i'n mynd 'nôl i'r Gnoll erbyn 5.30 ar gyfer sesiwn arall o ymarfer.

Wrth gwrs, erbyn heddiw mae chwaraewyr rygbi proffesiynol yn ennill cyflogau da. O ganlyniad, mae llawer o fechgyn ifainc yn dewis mynd i chwarae'n broffesiynol yn hytrach na mynd i goleg. Dwi mor falch mod i wedi ca'l addysg uwch cyn troi'n broffesiynol, gan fod gyrfa rygbi'n gallu dod i ben mor sydyn y dyddiau hyn. Os bydd hynny'n digwydd, mae'n bwysig fod gan y chwaraewr sy'n gorfod rhoi'r gorau i rygbi waith arall i'w wneud. Mae Clwb y Gweilch, a chlybiau tebyg, yn gwneud yn siŵr fod bois ifainc yr Academi'n dilyn cyrsiau addysg yn rheolaidd.

Dwi'n cofio Richard Blaze, ail reng tîm Caerlŷr, yn gorfod ymddeol o'r gêm y llynedd. Ro'dd e wedi chwarae i dimau iau Lloegr, yn ogystal â'r tîm A ac wedi'i ddewis i garfan Lloegr ar gyfer gêmau rhyngwladol yr hydref yn 2009. Ro'dd e'n chwaraewr addawol iawn, a dyfodol disglair iddo. Ond fe gafodd anaf i'w droed ar ddechrau tymor 2008–9. Wedi hynny dim ond ychydig o gêmau a chwaraeodd e gan i'r anaf ddod 'nôl i'w boeni dro ar ôl tro. Bellach mae e wedi gorfod ymddeol ac yntau ond yn 25 oed. Mae'r un peth wedi digwydd i nifer o chwaraewyr o Gymru yn ddiweddar, fel Lyndon Bateman a Michael Owen, er nad oedden nhw mor ifanc â Richard Blaze. Bydd gan rai sy'n gorfod ymddeol yswiriant addas, ond ni fydd gan eraill hyd yn oed y sicrwydd hwnnw.

Ar ôl pedair blynedd fe symudes i o Glwb Castell-nedd er mwyn chwarae i Bontypridd. Yn ystod fy mhedwerydd tymor ar y Gnoll fe dda'th cyhoeddiad fod Barry Williams, y bachwr rhyngwladol, wedi arwyddo i Glwb Gastell-nedd o Fryste. Ro'dd y newydd yn hollol annisgwyl i mi ac ro'n i'n grac am nad oedd y clwb wedi trafod y mater gyda fi cyn arwyddo Barry. Ro'dd hi'n ymddangos bod fy lle i fel bachwr y tîm cynta mewn perygl. Er cymaint ro'n i wedi mwynhau fy rygbi ar y Gnoll fe benderfynes i symud i Glwb Pontypridd.

Erbyn hyn ro'n i'n chwaraewr proffesiynol. Fe ges i ddechrau da yn Heol Sardis wrth i ni ennill ein gêm gynta a finne'n sgorio cais. Ond wedyn fe gollon ni'r wyth gêm nesa. Ro'dd tipyn o bryder yn y clwb bryd hynny ond yna fe gawson ni adfywiad. Fe ddaeth cwmni 'Buy as you View' yn noddwyr swyddogol ac fe ddenwyd pobol fel Neil Jenkins a Lyn Howells 'nôl i Heol Sardis. Yn ogystal, fe gafodd yr hyfforddwr Clive Jones ei benodi'n rheolwr.

Fe wellodd y sefyllfa'n gyflym ac erbyn diwedd y tymor roedden ni wedi cyrradd rownd derfynol dwy gystadleuaeth bwysig iawn. Lan yn Rhydychen fe gollon ni o drwch blewyn i Sale yn rownd derfynol

Cystadleuaeth Tarian Ewrop. Ond fe enillon ni yn erbyn Llanelli yn rownd derfynol Cwpan y Principality yn Stadiwm y Mileniwm. Hwnnw oedd y cynta o ddau dymor hapus iawn ges i ar Heol Sardis. Erbyn yr ail dymor ro'n i'n gapten ar y tîm ac ro'dd hynny'n anrhydedd mawr.

Ro'n i'n teimlo'n betrus iawn wrth gytuno i fod yn gapten. Yn y lle cynta ro'dd yn rhaid i fi holi fy hunan a o'n i'n ddigon o foi i'r job. Wedi'r cyfan ro'n i'n dilyn ôl traed chwaraewyr enwog a disglair – Dale McIntosh o'dd y capten o 'mlaen i ac ro'dd e'n gymeriad chwedlonol yn yr ardal. Yn ail, sut o'dd bod yn gapten ar rywun fel Neil Jenkins, a hwnnw wedi cyflawni popeth o fewn y byd rygbi. Ond, chwarae teg i Neil, ro'dd e'n wych ac yn gefen mawr i fi. Ro'dd 'na broblem arall. Bydde'n rhaid i fi, fel capten, siarad tipyn o Saesneg yn gyhoeddus. Do'n i ddim yn un da am wneud hynny. Ar y pryd ro'n i'n flin i mi drefnu colli cymaint o wersi Saesneg yn yr ysgol!

Pan o'n i'n fyfyriwr yn yr ardal ro'n i braidd yn ofnus o'r bobol leol. Ro'n i o dan yr agraff fod y rhan fwya ohonyn nhw'n siafo'u pennau ac yn gosod tatŵs ar eu cyrff ym mhobman. Y bobol hyn bellach o'dd cefnogwyr y clwb ro'n i'n gapten arno. Shwt fydden ni'n dod mlân 'da'n gilydd? Ond fe ges i'n synnu ar yr ochr orau a cha'l pob help gan y cefnogwyr hyn. Fe sylweddoles i eu bod nhw'n bobol gynnes a chyfeillgar bob amser. Yn wir, fe ges i amser hapus dros ben yng Nghlwb Pontypridd.

Y CRYS COCH

RO'DD YMUNO Â CHLWB Pontypridd yn ddechre ar bennod newydd yn fy ngyrfa rygbi ar sawl cyfri. Dyna pryd y dechreuodd dewiswyr tîm Cymru ddangos diddordeb yno' i o ddifri. Fe ges fy newis gynta i fod yn gapten ar dîm Cymru A yn erbyn Uruguay. Ro'n i'n ystyried hynny'n dipyn o anrhydedd, wrth gwrs. Yn y tîm hefyd ro'dd cryts ifainc fel Shane Williams a Gavin Henson, gyda Gethin Jenkins a Gareth Cooper ar y fainc.

Yna'r flwyddyn wedyn fe ges fy newis i fynd ar daith gyda thîm Cymru i Dde Affrica. Fe chwaraeon ni ddau brawf, y cynta yn Bloemfontein a'r llall yn Capetown. A dweud y gwir, ro'dd Steve Hansen wedi dewis tîm ifanc gweddol ddibrofiad ar gyfer y ddwy gêm. O ganlyniad, ro'dd yr arbenigwyr yn meddwl y bydden ni'n ca'l eitha crasfa mas yno. Er inni golli'r gyntaf, 34–19 a'r ail, 19–8, fe synnon ni lot o bobol gyda safon ein chwarae.

Ar y fainc ro'n i ar gyfer y gêm gynta honno

yn Bloemfontein. Ro'dd hynny'n golygu mod i wedi ca'l cyfle i brofi'r awyrgylch rhyfeddol ro'dd y cefnogwyr lleol yn ei greu cyn y gêm. Ro'dd hi fel carnifal yn y stadiwm gyda mynd mawr ar orymdeithio a tharo drymiau. Wrth gwrs pobol o dras Afrikaner o'dd pobol yr ardal honno. O ganlyniad, yr iaith Afrikans o'dd i'w chlywed ym mhobman a do'dd y Saesneg nag unrhyw un o ieithoedd brodorol Cyfandir Affrica ddim i'w clywed yn amlwg yno.

Ro'n i ar y fainc ar gyfer yr Ail Brawf ond fe ges i fynd ar y cae i ennill fy nghap cynta i Gymru. Ro'dd e'n brofiad ffantastig. Ro'dd Steve Hansen wedi dechrau'r arferiad o roi rhif i bob chwaraewr. Ro'dd y rhif hwnnw'n cyfateb i'w le fe ar y rhestr o'r holl chwaraewyr o'dd wedi chwarae i Gymru erioed. Byddai'r rhif ac enw'r chwaraewr yn cael ei roi ar bob crys y bydde fe'n ei wisgo wrth chwarae i Gymru. Ro'dd 1004 o chwaraewyr wedi chwarae dros Gymru o 'mlaen i. O ganlyniad ro'dd 'Mefin Davies 1005' wedi'i sgrifennu ar fy nghrys ar gyfer y gêm gynta honno, a phob gêm wedi hynny.

Ro'dd llawer o siarad wedi bod ar ddechrau'r daith ynglŷn â pha chwaraewr fyddai'r 1000fed un i gynrychioli ei wlad.

Y sawl gafodd yr anrhydedd o wisgo'r rhif arbennig hwnnw ar ei grys o'dd Michael Owen. Dwi wedi ennill 39 o grysau i gyd wrth chwarae i Gymru erbyn hyn. Ar y dechre fe fyddwn i'n cadw pob crys ond ymhen amser fe ddechreues i eu cyfnewid nhw am grysau chwaraewyr o dimau eraill. Bellach yn fy nghasgliad mae 'da fi grys o bob un o brif wledydd rygbi'r byd, bron.

Fe ges i chwarae yn Newlands tua diwedd y gêm, yn lle Robin McBryde. Ro'dd pac De Affrica gyda'r mwya yn y byd ac os rhywbeth ro'dd y tywydd gwlyb ofnadw a'r tir trymaidd yn eu siwto nhw'n well y diwrnod hwnnw. Ond chafodd ein rheng flaen ni ddim problem o gwbl gyda thri blaen y Boks. Ro'dd hynny'n wir yn ystod y cyfnod cyn i fi ddod ar y cae a'r un fu'r stori wedyn.

Fe ges i'r un profiad y llynedd pan chwaraes i dros Gaerlŷr yn erbyn De Affrica. Cafodd y gêm ei threfnu'n arbennig i ddathlu agor eisteddle newydd yn Heol Welford. Yn y gêm honno ro'dd ein rheng flaen ni'n feistri llwyr ar bac mawr y Boks. Efallai taw hwnna fydd y tro diwetha i fi chwarae yn erbyn tîm rhyngwladol. Eto i gyd, gobeitho ddim!

Er gwaetha'r ddau ganlyniad ro'dd y daith

i Dde Affrica yn llwyddiant. Yn sicr ro'dd chwarae'r tîm wedi gwella o dan Steve Hansen. Yn gymdeithasol hefyd fe gafodd pawb amser da. Dwi wrth fy modd yn crwydro gwledydd gwahanol, yn mwynhau gweld yr atyniadau arferol a sylwi ar ffordd y brodorion o fyw. Felly, yn Capetown fe ddringes i gopa Table Mountain ac ymweld â charchar Nelson Mandela ar Ynys Roben.

Fe gafodd rhai ohonon ni'r cyfle hefyd i fynd i wersyll sgwatio Khayelitsha. Ond cawson ni ychydig o fraw cyn mynd wrth glywed y bydde dynion yn cario drylliau er mwyn ein gwarchod ni ar y daith honno. Mae'n debyg fod trais a thorcyfraith yn gyffredin iawn yno, fel yn wir mae tlodi hefyd. Yno fe welson ni dlodi go iawn, a wna'th inni sylweddoli pa mor braf o'dd ein bywydau ni.

Ro'n i'n aros yng ngwesty'r Vineyard yn Capetown, lle ro'dd y cyfleusterau ar ein cyfer ni'n arbennig iawn. Yn wir, roedden nhw hyd yn oed wedi paratoi ar gyfer y bois o'dd falle'n teimlo ychydig bach o hiraeth am Gymru. Bob hyn a hyn bydde telynores yn dod i mewn i chwarae alawon Cymreig! Ar y daith honno ro'n i'n rhannu stafell â Robin McBryde ac fe gawson ni amser hwyliog iawn yng nghwmni ein gilydd.

Byddai'r hwyl yn parhau y tu fas i'r gwesty. Ro'dd y ddau ohonon ni wedi ca'l ein dewis i fod yn gyfrifol am yr adloniant ar y bws wrth i ni deithio o le i le. Dwi'n hoff iawn o dynnu coes ac o ga'l tipyn o sbort mewn bywyd ac o ganlyniad fy ngwaith i fydde dweud jôcs yn ystod y siwrneiau. Fe a'th rhai ohonyn nhw i lawr yn eitha da, er rhaid cyfadde nad o'dd gan bawb yr un fath o hiwmor â fi!

Ro'dd y daith hon hefyd yn gyfle i ddod i nabod Steve Hansen. Cyn madael â Chymru, ro'n i wedi dod i gredu ei fod e'n berson rhyfedd. Bydde golwg ddiflas arno fel arfer ac anaml y bydde fe'n siarad â ni'r chwaraewyr. Mewn geiriau eraill, ro'dd hi'n ymddangos nad o'dd 'da fe lawer o bersonoliaeth. Ond ar y daith i Dde Affrica ac yn ystod gweddill ei gyfnod fel hyfforddwr fe ddes i'w nabod e'n well o lawer. Ro'n i'n amlwg wedi ca'l yr argraff anghywir ohono ac fe ddes i'w lico fel hyfforddwr ac fel person.

Ro'dd e'n berson positif a theg iawn. Bydde fe bob amser yn gwneud ei orau i'n hamddiffyn ni'r chwaraewyr pan fydde'r wasg a'r cyfryngau yn ein beirniadu. Ro'dd e'n ddyn o egwyddor ac yn trio dangos i ni y dylen ni drin pobol fel y bydde nhw'n ein trin ni. Yn yr un modd ro'dd e'n dishgwl i'r chwaraewyr barchu'r egwyddorion ro'dd e'n eu hystyried fel rhai pwysig i'r tîm.

Bydde fe'n arfer cosbi chwaraewyr o'dd yn dod yn hwyr i gyfarfod neu i sesiwn ymarfer. Ond un diwrnod fe gyrhaeddodd Steve yn hwyr ac fe gosbodd ei hunan. Heb ddweud yr un gair wrth neb fe a'th mas i brynu *ghetto blaster* newydd deniadol ar gyfer chwarae cerddoriaeth. Yna'n sydyn fe laniodd y peiriant yn ystafell newid y chwaraewyr.

Ro'dd e hefyd yn un da am roi cynnig ar ddefnyddio rhyw drefen neu gynllun newydd. Ro'dd e'n agored i dderbyn syniadau o bob math ac yn barod i'w gweithredu hyd eitha'i allu. Os nad oedden nhw'n gweithio yna fe fydde'r un mor barod i'w gwrthod a'u newid. Am gyfnod ro'dd e am inni ddefnyddio galwadau Cymraeg wrth daflu i mewn i'r llinellau. Yn anffodus, bydde rhywun fel Brent Cockbain, o Awstralia, yn cawlo'r rhifau Cymraeg dro ar ôl tro. O ganlyniad, fe fu'n rhaid i Steve newid y ffordd honno o gysylltu â'n gilydd yn y llinellau!

Ma'n rhaid cofio taw dysgu bod yn hyfforddwr ar y lefel ryngwladol o'dd e yn ystod ei gyfnod gyda Chymru. Dyna pam ro'dd e mor hoff o drio pethe newydd. O ganlyniad, do'n i ddim yn cytuno 'da fe bob amser. Bydde hynny'n arbennig o wir wrth iddo awgrymu ambell beth yn y sgrym a'r llinell ro'n i'n gwbod o brofiad na fydden nhw'n gweithio.

Wrth drafod y sgrym bydde Mike Cron wrth law i'w helpu. Ro'dd Mike yn arbenigwr ar sgrymio ac fel arfer ro'n i'n cytuno â'i syniadau fe. A dweud y gwir, ro'dd Steve, Mike, Scott Johnson ac Andrew Hore, a fydde'n gofalu am ein ffitrwydd, yn gwneud tîm ardderchog ac fe ddysges i lawer ganddyn nhw. Dwi ddim yn amau na ddysgon nhw lawer hefyd drwy hyfforddi yng Nghymru.

PENNOD 12

CADW FY LLE

Ro'n i'n edrych ymlaen yn fawr at dymor 2002–3 ac at ga'l fy newis yn aelod o garfan Cymru. Ro'n i wedi ca'l blas ar gynrychioli fy ngwlad yn Ne Affrica ac yn gobeithio y byddwn i'n ca'l cyfleoedd eraill. Wedi'r cyfan, bydde cystadleuaeth Cwpan y Byd yn Awstralia ar ddechrau'r tymor wedyn. Yn ystod y misoedd i ddod, y nod i bob chwaraewr yn y garfan fydde ca'l ei ddewis i fynd i'r achlysur arbennig hwnnw.

Yn ystod yr hydref fe ges fy newis ar gyfer gêm nesa Cymru yn erbyn Romania. Ro'dd rhedeg mas ar y cae yn Wrecsam y diwrnod hwnnw eto'n foment arbennig iawn gan mai dyna'r tro cynta i fi ddechrau gêm yn y crys coch. Ond tymor siomedig gawson ni ar ôl ennill y gêm honno ac un arall yn erbyn Fiji. Fe gollon ni bob gêm ym Mhencampwriaeth y Chwe Gwlad, gan gynnwys yr un yn erbyn yr Eidal. Dyna o'dd y tro cynta erioed i ni golli yn eu herbyn nhw. Fe ges i gyfle i chwarae ym mhob un o'r gêmau hynny, weithiau oddi ar y fainc, ar wahân i'r gêm yn erbyn Lloegr.

Er bod y garfan gyfan yn siomedig gyda'r canlyniadau, ro'dd Steve yn dal yn hyderus fod lefel ein chwarae fel tîm yn gwella. Yr adeg honno ro'dd 'da fe lun mawr o fynydd Everest y bydde fe'n ei ddefnyddio. Bydde fe'n tynnu sylw at y ffaith fod yn rhaid cyrraedd pedwar gwersyll gwahanol ar y ffordd i'r copa. Ro'dd e'n cyfadde taw ar y gwaelod ro'n i fel tîm ar y pryd. Eto, ro'dd e o'r farn y bydden ni'n dringo o un gwersyll i'r llall wrth baratoi ar gyfer cystadleuaeth Cwpan y Byd.

Yn sicr do'dd dim byd o'i le ar yr ymdrech ro'dd y bois yn ei rhoi wrth ymarfer. Dwi'n cofio, yn ystod y tymor hwnnw, bydde Andrew Hore yn dod yn rheolaidd i Heol Sardis. Bydde fe'n cynnal sesiynau ychwanegol gyda ni, fois Pontypridd o'dd yng ngharfan Cymru. Ac ro'dd hynny ar ôl i ni fod yn ymarfer gyda Phontypridd!

Er bod canlyniadau Cymru'n siomedig y tymor hwnnw ro'n i'n teimlo mod i wedi chwarae'n eitha da. Ro'n i'n sicr yn falch o ga'l y profiad o gystadlu ar y lefel ucha un. Ro'dd y gêm yn erbyn Ffrainc yn Stade Français yn arbennig o galed a ninnau'n colli 35–5. Eto, ro'dd y profiad o gael chwarae o flaen torf swnllyd o 80,000 yn wych.

Ro'dd Steve am inni chwarae'n gyson yn erbyn timau gorau'r byd. Dyna pam, yn y mis Mehefin hwnnw, ro'dd e am inni fynd ar daith fer i Hemisffer y De. Yno fe chwaraeon ni'n erbyn Awstralia a Seland Newydd a cha'l dwy gêm anodd iawn. Des i mlân fel eilydd yn y ddwy gêm ac ro'dd y ddau ganlyniad yn siomedig. Colli 30–10 yn erbyn Awstralia a cha'l eitha coten, 55–3, yn erbyn y Crysau Duon. Dyna'r tro cynta i ni wynebu bachgen o'r enw Daniel Carter. Fe sgorodd e un cais, a chicio chwe throsiad ac un gôl gosb. Mae e wedi bod yn boen i dîm Cymru, a sawl tîm arall, byth ers hynny!

Beth bynnag am y siom roedden ni'n ei deimlo fel chwaraewyr wedi'r daith, dwi'n siŵr fod Steve yn teimlo'n wahanol. Ro'dd e'n gweld y cyfan fel gwers y gallen ni ei dysgu. Da'th e 'nôl i Gymru gyda syniadau pendant ynghylch pa bethau ro'dd gofyn inni weithio arnyn nhw ar gyfer Cwpan y Byd. Ro'dd Steve o'r farn y bydde'r daith, yn y pen draw, yn ein gwneud ni'n well tîm.

Yn ystod yr haf cyn Cwpan y Byd cafodd pedair gêm eu trefnu. Bues i'n chwarae mewn dwy ohonyn nhw, yn erbyn Iwerddon a Romania. Ro'dd yr ail gêm yn un o uchafbwyntiau fy ngyrfa rygbi i achos fe ges i fy newis yn gapten ar y tîm y diwrnod hwnnw. I unrhyw chwaraewr rygbi byddwn i'n dweud bod ca'l arwain eich tîm cenedlaethol ar y cae am y tro cynta'n brofiad bythgofiadwy. Ac ro'dd e. Yn goron ar y diwrnod fe enillon ni'n hawdd, 54–8.

Anaml y bydden ni'n ca'l buddugoliaeth y dyddiau hynny. Yn wir, fe gollon ni'r ddwy gêm baratoi nesa'n drwm, yn erbyn Iwerddon a Lloegr. Ro'dd un gêm ar ôl i'w chwarae, yn erbyn yr Alban, cyn mynd i Gwpan y Byd. Ro'dd Steve, mae'n debyg, wedi bod o dan bwysau mawr gan swyddogion yr Undeb Rygbi i ddod â rhai chwaraewyr profiadol yn ôl i'r tîm.

Serch hynny, fe fynnodd gadw at y chwaraewyr ro'dd e wedi bod yn eu datblygu ers tro. Fe dalodd iddo yn y pen draw, achos fe faeddon ni'r Alban 23–10, gan chwarae'n eitha da. Yn ôl y sôn, 'tasen ni wedi colli'r gêm honno bydde'r Undeb wedi gofyn i Steve ymddiswyddo. Bydde hynny wedyn yn golygu y bydde'n rhaid i ni fynd i Gwpan y Byd y mis wedyn gyda hyfforddwr newydd. Bydde hynny wedi bod yn warthus.

Aethon ni i Lanzarote am gyfnod cyn gadael am y gystadleuaeth. Y rheswm am hynny o'dd fod y lle'n debyg o ran y gwres i Awstralia. Felly, fe fydden ni'n ca'l digon o gyfle i ddod i arfer â'r math o wres y bydden ni'n chwarae ynddo yng ngêmau Cwpan y Byd. Yn wir, dyna un o'r cyfnodau ymarfer anodda i mi ei brofi erioed. Ar wahân i'r tywydd twym ofnadw, ro'dd un peth arall yn gneud y profiad yn ddiflas. Ro'n i'n ymarfer yn galed heb ddim pwrpas mewn gwirionedd. Fel arfer bydde cyfnod o baratoi fel yna'n arwain at gêm. Ond nid fel'na ro'dd hi yn y gwersyll yn Lanzarote.

CWPAN Y BYD AC WEDYN

BYDDWN I'N DWEUD BOD cyrradd Cwpan y Byd yn un o uchafbwyntiau gyrfa'r rhan fwya o chwaraewyr. Ro'n i'n teimlo bod lefel fy ffitrwydd a 'nghryfder i ar ei orau yr adeg honno. Ro'dd 'da ni dîm hyfforddi arbennig o'dd wedi ein paratoi ni'n dda ar gyfer y gystadleuaeth orau yn y byd. Yr un nod o'dd gan bawb, sef ennill y Cwpan, ac ro'dd pob un ar ei orau ar gyfer y dasg honno.

Ro'n i'n siomedig taw dim ond mewn un gêm mas o bump Cymru y ces i ddechrau'r gêm. Ro'dd honno yn erbyn Tonga ac fe fwynheues i mas draw. Fe enillon ni ond ro'dd hi'n gêm eitha tyn. Hefyd, fe ddes i oddi ar y fainc yn erbyn Seland Newydd a Lloegr. Er inni golli'r ddwy, fe synnodd y byd rygbi at chwarae disglair Cymru yn y gêmau hynny. O'r diwedd, fe gawson ni gyfle i chwarae'r math o rygbi ro'dd Steve wedi bod yn anelu i ni ei chwarae ers tro. Y nod o'dd trafod y bêl a chadw'r meddiant ac fe lwyddon ni i wneud hynny gyda sglein.

Ro'n i wedi gorfod derbyn taw mewn a mas y byddwn i fel dewis cynta yn y tîm. Ar ôl y gêm yn erbyn Ffrainc rai misoedd cyn Cwpan y Byd ces i gyfle i holi Steve am hyn. Fe ddywedes i wrtho mod i'n ei cha'l hi'n anodd gwybod ble yn gwmws ro'n i'n sefyll. Ro'n i'n teimlo mod i'n llwyddo i wneud yr hyn ro'dd e'n gofyn i fi ei wneud bob tro ro'n i'n mynd ar y cae. Eto, ro'n i wedi colli fy lle yn y tîm fwy nag unwaith.

'Mefin,' medde fe wrtha i, 'you can't put in what God left out.' Ar y pryd do'n i ddim cweit yn deall beth o'dd e'n ei feddwl. Ond wedyn fe sylweddoles i taw dweud o'dd e nad o'n i ddim yn ddigon mawr a chorfforol i chwarae ym mhob gêm. Erbyn hyn dwi'n dyfaru na fyddwn i wedi bod yn ddigon cyflym i roi ateb iddo. Byddwn wedi dweud mod i'n derbyn mod i'n llai o faint na'r rhan fwya o fachwyr. Ond byddwn i wedi ychwanegu bod 'da fi fantais dros y rhan fwya hefyd – gan mod i'n llai ro'n i wedi gorfod dysgu dibynnu mwy ar dechneg wrth fachu na nhw.

Fe wnes i fwynhau'r cyfnod dreulion ni oddi ar y caeau ymarfer a'r gêmau eu hunain yn fawr. Yn y lle cyntaf, ro'n i'n aros am gyfnod mewn gwesty ar lan y môr yn Manley, ar bwys Canberra. Mae Awstralia a Seland Newydd yn wledydd dwi wrth fy modd yn ymweld â nhw. Yn wir, ro'n i wedi bod yn crwydro yno, a phecyn ar fy nghefen, rai blynyddoedd cynt. Mae cymaint o bwyslais yno ar fod mas yn yr awyr agored yn mwynhau gwneud gwahanol bethau. Fe synnes i fod cynifer o bobol yn loncian a cherdded ar hyd y traeth yn Manley am chwech o'r gloch y bore hyd yn oed. Erbyn un ar ddeg y bore ro'dd y nifer gymaint yn fwy. Ac ro'dd y tywydd mor ffein. Dyw hi ddim yn deg!

Fe dreulion ni'r rhan fwya o'r amser ar y daith yn nhref Canberra ac ro'dd ein llety yn fan'no'n wych. Roedden ni'n aros mewn fflatiau, gyda rhyw bedair fflat ar bob llawr a dau'n rhannu fflat. Fy mhartner i o'dd Mark Taylor ac fe gawson ni lot o sbort. Y ni o'dd yn gyfrifol am brynu a gwneud ein bwyd ein hunain ac am wneud y golch hyd yn oed. Bob hyn a hyn, fe fydden ni'n ymuno â bois y fflatiau eraill am bryd o fwyd. Weithiau bydde'r garfan gyfan yn mynd mas i dŷ bwyta 'da'n gilydd. Ro'dd y drefen yma'n ardderchog ar gyfer magu ysbryd cymdeithasol ymhlith y bois. Yn sicr, ro'dd e'n llawer gwell nag aros mewn gwesty.

Methu wnaethon ni â pharhau'r gwaith da a ddigwyddodd yng Nghwpan y Byd ym Mhencampwriaeth y Chwe Gwlad yn 2004. Fe gollon ni yn erbyn Lloegr, Iwerddon a Ffrainc, ac ennill yn erbyn yr Alban a'r Eidal. Ar y fainc roeddwn i yn erbyn yr Eidal ond fe ges gyfle i chwarae ac fe enillon ni 44–10, gan sgorio chwe chais. Ro'dd hi'n bwysig ein bod ni'n chwarae'n dda yn y gêm honno. Oherwydd ro'dd Steve Hansen wedi cyhoeddi taw honna fyddai'r gêm ola iddo fe fel hyfforddwr Cymru.

At ei gilydd ro'dd y canlyniadau a gafodd e'n siomedig. Eto, ro'dd ymateb y dorf pan dda'th e ar y cae ar ôl y gêm yn emosiynol iawn. Roedden nhw fel petaen nhw am ddiolch iddo am geisio cyflwyno ffordd ffres o chwarae'r gêm. Roedden nhw falle'n gwerthfawrogi hefyd pa mor anodd o'dd cyflwyno dulliau newydd o chwarae i'r tîm ac yn diolch iddo am geisio gwneud hynny. Maen nhw'n dweud na fydd gwir waith hyfforddwr i'w weld am rai blynyddoedd wedyn. Dwi'n meddwl bod hynny'n wir am Steve Hansen. Erbyn i bobol Cymru werthfawrogi'n iawn beth wnaeth e ro'dd hyfforddwr newydd yn ennill y clod.

Mike Ruddock dda'th ar ôl Steve fel hyfforddwr tîm Cymru ac fe gawson ni

80

ddechrau da i'r tymor. Yn gynta, yng ngêmau'r hydref, fe fu bron i ni faeddu'r Crysau Duon (colli o un pwynt) a De Affrica (colli o ddau bwynt). Yna fe gawson ni nifer o ganlyniadau gwych i ennill y Gamp Lawn ac ro'dd pawb wrth eu boddau. Yn sicr, ro'dd hynny'n un arall o uchafbwyntiau fy ngyrfa i. Fe ges i'r pleser a'r fraint o chwarae ym mhob un o'r gêmau, ac ro'dd ambell un yn gofiadwy iawn.

Pwy all anghofio ennill yn erbyn Lloegr gyda Gavin Henson yn cicio gôl gosb anodd i ennill y gêm funudau cyn y chwiban ola! Ca'l y gorau ar Ffrainc yn Stade Français ar ôl brwydr galed. Yna, ro'dd 'na awyrgylch arbennig iawn yn Stadiwm y Mileniwm ar gyfer y gêm ola yn erbyn Iwerddon. Ro'dd y teimladau ar ôl ennill hyd yn oed yn fwy arbennig. Roedden ni wedi ennill y Gamp Lawn!

Yn ôl y sôn, ro'dd y wlad yn ferw am ddyddiau wedyn. Ond ches i ddim profi llawer iawn o'r llawenydd ro'dd pobol Cymru yn gyffredinol yn ei deimlo. Ro'n i'n chwarae i Gaerloyw ar y pryd, yr ochr arall i Glawdd Offa, a do'dd dim llawer o ddathlu fan'no! Wrth gwrs mae 'na fanteision i hynny weithiau. Pan fydde Cymru wedi chwarae'n wael, fyddwn i byth o dan bwysau gan bobol Caerloyw yn ystod y dyddiau ar ôl y gêm. Ro'dd hi'n stori wahanol i'r bois o'dd yn chwarae yn y Gorllewin!

Yn naturiol fe fu tipyn o ganmol ar Mike yn dilyn ein llwyddiant y tymor hwnnw. Dwi'n hoff ohono fel person ac wedi mwynhau ei gwmni fe erioed. Ond, yn fy marn i, dwi'n credu iddo fe lwyddo i ennill y Gamp Lawn oherwydd y gwaith da o'dd wedi ca'l ei wneud cyn hynny. Ro'dd e wedi gallu manteisio ar yr hyn roedden ni'r chwaraewyr wedi'i ddysgu gan Steve Hansen a Scott Johnson.

Dwi ddim yn gwybod beth ddigwyddodd rhyngddo fe a'r Undeb pan benderfynodd e ymddiswyddo ar ôl y gêm yn erbyn Iwerddon yn 2006. Erbyn hynny ro'dd timau eraill Pencamperiaeth y Chwe Gwlad wedi dod i ddeall ein steil ni o chwarae. Dim ond un gêm enillon ni ac fe ddes i oddi ar y fainc mewn pedair ohonyn nhw. Ches i ddim fy ystyried ar gyfer tîm Cymru wedi'r tymor hwnnw. Y rheswm, mae'n debyg, o'dd mod i'n chwarae yn Lloegr o wythnos i wythnos. Oherwydd hynny do'dd y dewiswyr ddim yn gallu pwyso a mesur fy chwarae i yn erbyn y bachwyr eraill yng Nghymru. Do's dim llawer wedi newid, mae'n debyg.

BACHU

MAE'N FFAITH FOD CHWARAEWYR rygbi ar y lefel ucha, yn enwedig y blaenwyr, yn fwy o lawer na beth oedden nhw flynyddoedd yn ôl. Mae hynny'n arbennig o wir am y bois sy'n chwarae yn safle'r bachwr. Pan ddechreues i chwarae gyda'r Cwins do'n i ddim yn ca'l fy nghyfri'n fach. Ro'dd 'na ddigon o fachwyr eraill tebyg i fi. Erbyn heddiw mae hi wedi dod yn ffasiwn i ga'l bachwr eitha mawr. Y gred yw fod hynny'n rhoi fwy o bwysau a mwy o rym i'r sgrym wrth wthio yn erbyn pac y tîm arall.

Dwi wrth fy modd yn chwarae yn erbyn bachwyr mawr. Mae llawer ohonyn nhw wedi dibynnu ar eu maint erioed i gystadlu yn y rheng flaen. Yn amal 'dyn nhw ddim wedi gorfod dysgu sgiliau arbennig i ga'l y gorau ar y bachwr sy'n eu herbyn. Ond yn amal maen nhw mewn trwbwl pan ddôn nhw yn erbyn bachan sy'n fwy ac yn gryfach na nhw. Bryd hynny do's dim techneg 'da nhw i ddibynnu arni. Mae bois bach fel fi wedi gorfod dibynnu ar ga'l techneg gywir o'r dechrau.

Slawer dydd un o sgiliau pwysica'r bachwr o'dd gallu bachu'n effeithiol â'i droed wrth i'r bêl ddod i mewn i'r sgrym. Erbyn heddiw go brin bod angen bachu o gwbl. Mae'r pwyslais bellach ar wneud yn siŵr fod y pac yn gwthio gyda'i gilydd er mwyn mynd dros y bêl a sicrhau meddiant. Bellach mae'n rhaid i'r bachwr ganolbwyntio ar nifer o bethau eraill yn y sgrym. Rhaid iddo wneud yn siŵr ei fod e wedi'i glymu wrth y ddau brop yn y ffordd fwya effeithiol, a bod traed y tri ohonyn nhw yn y safle iawn. Mae hyn yn hollbwysig er mwyn iddo allu rhoi'r pwysau mwya posibl ar fachwr y tîm arall. Ond mae'n bwysig fod y pwysau hynny'n ca'l eu rhoi yn union pan fydd gweddill y pac yn gwthio fel un y tu cefen iddo. A hynny fel mae'r bêl yn dod i mewn, wrth gwrs.

Ond dyw mewnwyr y dyddiau hyn ddim yn rhoi'r bêl i mewn yng nghanol y sgrym fel y bydden nhw. Maen nhw'n tueddu i'w gwyro hi rhywfaint i gyfeiriad eu pac nhw. Wrth gwrs, ar y dyfarnwyr mae'r bai am hyn. Mae'r rheolau'n dal i ddweud bod yn rhaid i'r bêl fynd i mewn yn syth i ganol y sgrym. Ond, yn anffodus, tueddu i anwybyddu hynny mae dyfarnwyr heddiw. Fe fyddan nhw'n canolbwyntio mwy ar sut ma'r props yn cydio yn ei gilydd, neu pwy sy'n cwympo i'r ddaear gynta. Falle, y flwyddyn nesa, y gwelwn ni nhw'n cosbi, unwaith eto, y mewnwyr sydd ddim yn rhoi'r bêl i mewn yng nghanol y sgrym.

Wrth gwrs, mae'r sgrym yn gallu bod yn agwedd beryglus iawn o'r gêm o hyd. Mae'n rhaid i fi bob amser ga'l ffydd yn y ddau brop sy'n chwarae gyda fi. Yn yr un modd mae'n rhaid i'r ddau ohonyn nhw ga'l ffydd yn y bachwr sydd rhyngddyn nhw. Dwi'n cofio un tro, flynyddoedd yn ôl, chwarae i dîm Sir Gaerfyrddin. Ro'n i'n eitha ifanc ar y pryd ac ro'dd y gêm honno yn un o'r gêmau caleta dwi wedi'i chwarae erioed. Do'n i ddim yn nabod neb arall yn y tîm, heb sôn am fod wedi chwarae gyda nhw o'r bla'n. Felly ro'dd y ddau brop yn ddieithr i fi ac fe brofodd hynny i fod yn beryglus iawn. Mewn un sgrym, wrth i fi fynd am y gwthiad, fe gododd un o'r ddau brop gan fy nhynnu i lan gydag e. Do'n i ddim yn dishgwl hynny ac fe gafodd fy ngwddwg ei wasgu wrth i'r pac arall wthio.

Fe ges i anaf poenus y diwrnod hwnnw ond fe fase hi wedi gallu bod yn waeth o lawer. Ond mae'r perygl i chwaraewyr ar lefelau isa'r gêm yn llawer uwch. Yn amal iawn, bryd hynny, mae bois yn ca'l eu rhoi i chwarae mewn safleoedd nad ydyn nhw'n gyfarwydd â nhw. Bues i'n cynnal sesiwn ymarfer ychydig yn ôl gyda thîm ieuenctid un o glybiau'r Gorllewin. Ro'dd rhyw foi bach ar brawf gyda nhw yn safle'r ailreng. Do'dd e erioed wedi chwarae yn y safle hwnnw o'r blaen a do'dd e ddim hyd yn oed yn gwbod ble i roi ei ben yn y sgrym. Mae sefyllfa fel yna'n fy ngofidio i'n fawr. Gallai'r bachgen yna'n hawdd fod wedi'i ddewis i chwarae i'r tîm ieuenctid hwnnw mewn gêm. Gallai'n hawdd hefyd ga'l anaf difrifol.

Ma'r sgrym yn achosi lot o broblemau i ddyfarnwyr hyd yn oed ar y lefel ucha. Yn bersonol, dwi'n ei cha'l hi'n anodd deall sut mae dyfarnwyr yn gwahaniaethu cymaint o ran y ffordd maen nhw'n gweld y sgrym. Fe fydd y dyfarnwr yn dod i mewn i'r ystafell newid cyn pob gêm. Bryd hynny fe fydd yn dweud wrthon ni sut mae e'n mynd i ddyfarnu'r sgrym ac yn y blaen. Ond, yn amal, unwaith bydd y gêm wedi dechre, fe fydd e wedi anghofio yr hyn ddywedodd e yn yr ystafell newid.

Un peth anffodus yn y gêm fodern yw'r amser sy'n ca'l ei golli mewn gêm oherwydd bod sgrym yn cwympo dro ar ôl tro. Ar gyfartaledd, mae'n bosib y bydde deg munud yn fwy o chwarae go iawn ym mhob gêm pe na bai'r sgrym yn cwympo. Yn amal do's dim syniad 'da'r dyfarnwr pam fod hynny'n digwydd. Mae nifer o resymau posibl, wrth gwrs. Yn gyffredin bydd rheng flaen yn gadael i'r sgrym gwympo'n fwriadol am eu bod nhw o dan gymaint o bwysau ar y pryd.

Ar y llaw arall, fe all rheng flaen sy'n amlwg yn gryfach na'r llall benderfynu cwympo'r sgrym. Fe all hyn ddigwydd pan nad yw'r rheng flaen honno'n hapus â'r ffordd maen nhw wedi gosod eu hunain. Fe fyddan nhw'n teimlo bod eisie iddyn nhw aildrefnu er mwyn ca'l gwthiad gwell. Hefyd, bydd dyfarnwyr weithie'n rhoi gormod o ryddid i brop pen tyn droi i mewn ar fachwr y rheng flaen arall er mwyn cawlo'u gwthiad nhw. Yn fy marn i, mae angen rhoi llawer mwy o hyfforddiant i ddyfarnwyr am yr hyn sy'n gallu digwydd yn y sgrym.

Agwedd bwysig ar waith y bachwr y dyddiau hyn, wrth gwrs, yw taflu i mewn i'r llinell, a dwi'n treulio llawer mwy o amser yn ymarfer y grefft arbennig honno'r dyddiau hyn. Byddwn ni, fachwyr y Gweilch, yn treulio amser yn taflu'r bêl at ein gilydd ar ôl y sesiwn ymarfer gyffredinol. Ches i ddim hyfforddiant gan neb yn y dyddiau cynnar ar sut o'dd perffeithio'r grefft. Ond pan ddes i o dan ofal Mike Cron yn nhîm Cymru, fe ddysgodd e rywfaint i fi ynglŷn â'r dechneg o daflu i mewn i'r llinell.

Pan o'n i gyda Chaerlŷr fe ges i agoriad llygad o ran eu hagwedd at y sgil honno. Byddai un o staff hyfforddi Undeb Rygbi Lloegr yn ymweld yn rheolaidd â chlybiau'r Uwch-gynghrair. Ei enw fe o'dd Simon Hardy a'i waith o'dd dysgu'r bachwyr yn y clybiau hynny sut o'dd taflu i mewn yn iawn i'r llinell. A dyna i gyd fydde fe'n ei wneud. Nawr bydde rhai'n meddwl nad o'dd dim llawer iawn i'w ddysgu am y grefft arbennig honno. Ond mae'n rhaid i fi gyfadde bod fy nhaflu i wedi gwella'n aruthrol ar ôl bod o dan ofal Simon.

Yn y lle cyntaf, fe ddysgodd i fi sut o'dd ca'l gwell gafael ar y bêl. Fe ddylwn i, medde fe, fod yn estyn fy llaw yn bellach ar hyd y bêl cyn ei thaflu hi i mewn. Dylwn i hefyd ddala arni'n hirach cyn ei gollwng hi o 'ngafael. Ro'dd e wedi penderfynu pryd fydde'r adeg iawn i fi ryddhau'r bêl yn ôl y ffordd ro'dd fy mraich i'n symud trwy'r aer. Do, fe ddysges i lot 'da fe. Ond weles i erioed mo Simon yn galw heibio Clwb Caerloyw pan o'n i'n chwarae iddyn nhw. Sgwn i, ai am mod i ar y pryd yn taflu i mewn i'r llinell gyda thîm Cymru?!

Yn naturiol, mae rhywun yn teimlo dan bwysau weithie wrth daflu i mewn. Dwi'n cofio Scott Johnson yn dweud bod pwysau yn rhywbeth ry'ch chi'n ei roi arnoch chi eich hunan. Felly, os oes 'da chi hyder yn eich gallu chi eich hunan, bod yr hyn ry'ch chi'n mynd i'w wneud yn mynd i weithio, dylech chi fod yn iawn! Dwi'n cofio, pan ddechreues i'r tymor yma gyda'r Gweilch, ro'n i'n sicr yn teimlo pwysau wrth daflu i mewn. Y rheswm am hynny o'dd bod 'da ni gyn lleied o opsiynau yn y llinell ac ro'n i'n gwbod hynny. Fe wellodd y sefyllfa honno yn y man, felly do'dd dim esgus wedyn! Ond mae dal lle i ddatblygu o hyd.

Ond, wrth gwrs, mae cymaint o bethau'n gallu mynd o'i le yn y llinell ac fel arfer y bachwr druan sy'n ca'l y bai ac yntau'n amal yn ddieuog. Rhaid cofio y gall y neidiwr anghofio'r alwad fydd yn dweud wrtho ble bydd y bêl yn ca'l ei thaflu, a gall y neidiwr gael ei godi'n rhy hwyr. Eto, pan fydda i ar fai fe fydda i'n gwbod hynny o'r eiliad mae'r bêl yn gadael fy llaw. Mae tensiwn, yn naturiol, yn gallu drysu pethau. Gall llinell arbennig ar ddiwedd gêm fod yn hollbwysig o ran y canlyniad. Gall sŵn y dorf achosi problemau. Ar adegau fel 'na fe fydda i'n trio cofio cyngor Garin Jenkins i fi un tro, 'Smell the roses!' – hynny yw, rho bopeth negyddol mas o dy feddwl a mwynha dy hunan. Mewn gwirionedd, ma'r geiriau hynny'n disgrifio'r ffordd dwi wedi trio chwarae'r gêm ar hyd fy ngyrfa.

Do, mae'n wir i fi brofi ambell ddraenen yn ystod fy ngyrfa, yn enwedig yn y cyfnod anodd hwnnw'n dilyn diddymu tîm y Rhyfelwyr Celtaidd. Yr adeg honno ro'n i ar brydie'n teimlo'n ddigon isel fy ysbryd. Er hynny, rwy wedi gneud ymdrech bob amser i frwydro 'nôl yn erbyn anawsterau bywyd. Mae'n ddigon hawdd plygu ac ar brydie mae'n ymddangos taw ildio yw'r llwybr hawsa. Ond, yn fy achos i, gyda chefnogaeth y teulu, fe lwyddes i wynebu bob her a dda'th ar 'y nhraws.

Wrth gwrs, o ystyried y byd rygbi, bu'n rhaid i fi feithrin dycnwch arbennig yn ystod fy ngyrfa. Yn naturiol do's dim posib gwybod pa broblemau y bydd gofyn i fi eu hwynebu mewn bywyd yn y dyfodol ar ôl i'm gyrfa fel chwaraewr ddod i ben. Ond pa anawsterau bynnag a ddaw, rwy'n teimlo y bydd fy mhrofiadau yn y byd rygbi wedi fy mharatoi i'n dda iawn i'w goresgyn.

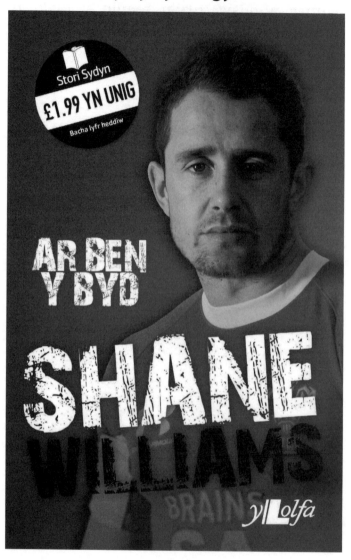

£1.99

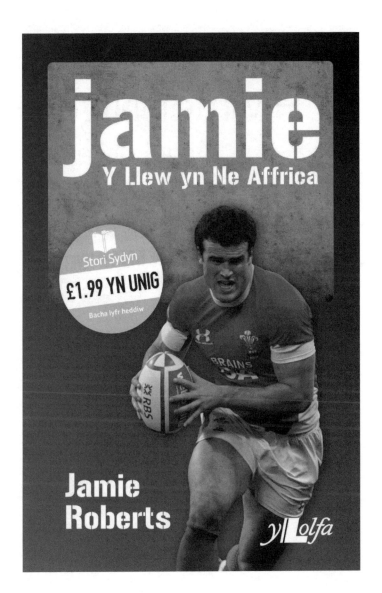

jamie

Y Llew yn Ne Affrica

Stori Sydyn

£1.99 YN UNIG

Bacha lyfr heddiw

BRAINS

RBS

Jamie Roberts

y Lolfa

£1.99

Hiwmor Nigel
Nigel Owens

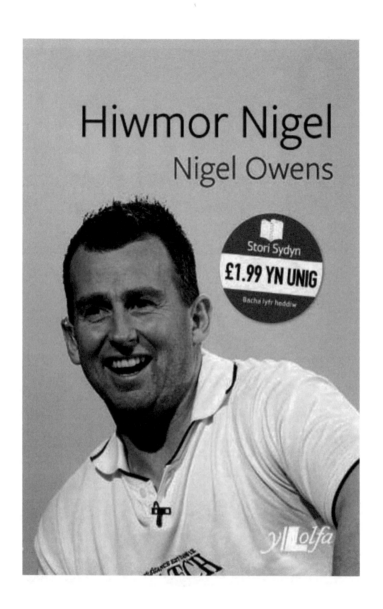

£1.99

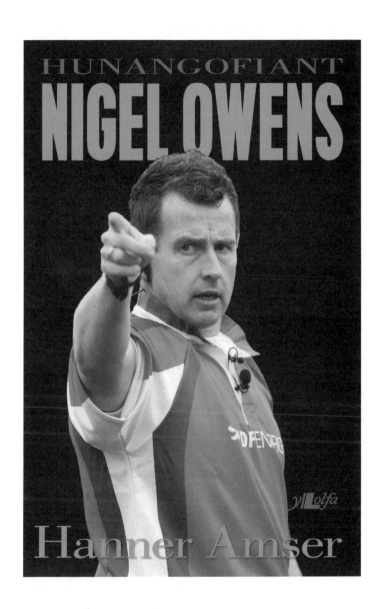

HUNANGOFIANT
NIGEL OWENS

Hanner Amser

£9.95

Am restr gyflawn o lyfrau'r Lolfa, mynnwch
gopi o'n catalog newydd, rhad
neu hwyliwch i mewn i'n gwefan

www.ylolfa.com

lle gallwch archebu llyfrau ar lein.

TALYBONT CEREDIGION CYMRU SY24 5HE
ebost ylolfa@ylolfa.com
gwefan www.ylolfa.com
ffôn 01970 832 304
ffacs 832 782